C,506 BOURAS

D1651859

CHIENS
DE
COLETTE

ŒUVRES DE COLETTE
de l'Académie Goncourt

AUX ÉDITIONS ALBIN MICHEL

☆

CLAUDINE A L'ÉCOLE

CLAUDINE A PARIS

CLAUDINE S'EN VA

L'INGÉNUE LIBERTINE

LA VAGABONDE

CHATS DE COLETTE

CHIENS

DE

COLETTE

ÉDITIONS
ALBIN MICHEL
22, rue Huyghens
PARIS

Il a été tiré de cet ouvrage :
150 cxemplaires sur vergé de Hollande,
numérotés de 1 à 150.

© 1957, by Editions Albin Michel.

Je ne me refuse pas à louer, atten-
drie, le chien.

> COLETTE, *Journal à Rebours*.

Voilà, je pense, une amende honorable, payée à la gent canine ? Je ne
la lui ai jamais marchandée.

> COLETTE, *Le Fanal Bleu*.

Note de l'éditeur. — Toutes les références bibliographiques sont reportées à la table des matières.

EN GUISE D'INTRODUCTION

LOIN DE MOI DE VOUS OUBLIER, CHIENS CHA-
LEUREUX, MEURTRIS DE PEU, PANSÉS DE RIEN.
COMMENT ME PASSERAIS-JE DE VOUS ? JE VOUS
SUIS SI NÉCESSAIRE... VOUS ME FAITES SENTIR LE
PRIX QUE JE VAUX. UN ÊTRE EXISTE DONC ENCORE,
POUR QUI JE REMPLACE TOUT ? CELA EST PRODI-
GIEUX, RÉCONFORTANT, UN PEU TROP FACILE.

CELLE QUI EN REVIENT

LE SOLDAT, *tenant dans ses mains la tête de la chienne.*
— Là, là, Bergère... Là, mon amie... Qu'as-tu rêvé,
Bergère ? Tu sais bien que c'est fini, que c'est fini,
Bergère...

LA BERGÈRE, *égarée, en pleurs.* — Ah ! te voici, ah !
je te retrouve... Il y a un instant j'étais avec toi et je
recommençais une de nos pires nuits... Combien de fois
vais-je te perdre ? Donne tes mains, que je m'assure...
Non, elles ne dégouttent point... Tes pieds que je flaire
n'ont pas marché près du ravin... Te voilà, riant et tout
parfumé de vie ! Et tu dis : « C'est fini... » O mon
Maître, pas encore. Je t'ai trop souvent perdu. Nous
avons trop longtemps habité un pays où l'âme n'a pas
de repos, et où le corps désespéré veille malgré lui
quand défaut l'âme. Aussi, pardonne-moi si pendant
bien des jours je te donne à chacun de tes retours, au
lieu des cris et des saluts d'allégresse qui te sont dus, ce

qui m'emplit toute et déborde au moindre choc : la folle alarme, les bonds d'un cœur qui m'étouffe et tonne dans ma poitrine, la plainte contenue pendant tant d'heures écrasantes... Pardonne-moi, l'amour que je t'ai voué, ô mon Maître, n'a pas fini d'être triste... (*Elle lui lèche les mains, se prosterne et continue de gémir tout bas.*)

PERRUCHE BLEUE

Elle avait perdu son bouledogue, mort de vieillesse. La vieillesse vient tôt aux petits *french bulls*. Ils n'ont pas plus tôt dix ans que les voilà perclus de rhumatismes ; ils claudiquent du train de derrière, un mauvais rhume chronique les fait pleurer, l'épilepsie les guette... Ce sont de pauvres petits monstres trop intelligents, nerveux et jaloux, et frileux comme des oiseaux des îles...

Elle avait donc perdu son bouledogue, et refusait de se consoler.

— Quel chien veux-tu ? lui demandait son mari. Tu n'as qu'à dire, et j'irai à Paris te le chercher.

Mais elle regardait un vieux fauteuil vide, et sur le fauteuil une couverture bien pliée, qu'on ne dépliait plus, et répondait :

— Je ne veux pas un chien, je veux un bouledogue. Un bouledogue avec un œil ici et un œil là, très loin l'un de l'autre, et un gros front de penseur ; pas de nez ou si peu, le cou bien épais, la tête dans les épaules.. Enfin, un bouledogue !

Son mari partit pour Paris et ne revint d'une semaine. Peut-être guettait-elle, seule au coin du feu, le bruit d'un grelot. Mais elle n'en laissa rien voir. Même, quand il entra, elle n'eut pas l'air de remarquer qu'il portait, précautionneux, une sorte de panier recouvert de toile, et elle ne marqua aucun espoir.

— Tu n'*en* as pas trouvé, n'est-ce pas ? dit-elle d'une voix morne.

— Non, dit-il, et il n'osa pas l'embrasser.

— Je le pensais bien, *ils* sont si rares, dit-elle. Et elle fit un soupir.

— Qu'est-ce que tu portes là ? reprit-elle par courtoisie pure.

— Oh ! rien... Rien pour toi, malheureusement... Une bestiole sans intérêt.

Il posa son colis et déboucla l'enveloppe de toile. Sous un rayon de soleil apparut, debout sur un barreau de la cage, une perruche bleue, à laquelle la jeune femme mélancolique ne jeta qu'un coup d'œil distrait.

Après quoi il fallut bien que le mari allât à ses affaires. Quand il rentra, la jeune femme et la perruche devisaient, et il se félicita de leur bon accord, qui continua par la suite sans qu'il en pénétrât le motif. Car il ne s'était pas lui, avisé, que la perruche avait un œil sur la tempe et l'autre œil très loin sur l'autre tempe, un gros front sphérique de penseur, pas de bec ou si peu, le cou bien épais et la tête dans les épaules...

CHIENS SAVANTS

— Tiens-la ! Tiens-la !... Ah ! la rosse, elle l'a
encore mouchée !

Manette vient d'échapper au machiniste et de sauter
sur Cora, qui s'y attendait. Mais la petite fox est douée
d'une rapidité de projectile, et ses dents ont percé, à
travers le poil épais de la colley, un peu de la peau du
cou. Cora ne riposte pas tout de suite ; l'oreille tendue
vers la sonnette de scène, les babines retroussées jusqu'aux yeux, elle menace seulement sa camarade d'une
grimace de renard féroce et d'un petit râle étranglé,
doux comme un ronron de gros chat.

Dans les bras de son maître, Manette hérisse les poils
de son échine comme des soies de porc et s'étrangle à
dire des choses abominables...

— A'vont se bouffer ! dit le machiniste.

— Penses-tu ? réplique Harry's. Elles sont plus
sérieuses que ça. Les colliers, vite !

Il noue au cou de Cora le ruban bleu pâle qui fait valoir sa robe couleur de froment mûr, et le machiniste boucle sur le dos de Manette un harnais de carlin, en velours vert, clouté d'or, alourdi de médailles et de grelots.

— Tiens-la serré, le temps que j'enfile mon dolman.

. . . .

Cora, retenue par le machiniste, râle plus haut et vise, au-dessus d'elle, le train postérieur de Manette, de Manette convulsée, effrayante, les yeux injectés et les oreilles coquillées en arrière.

— Une bonne tripotée, ça les calmerait pas ! hasarde le garçon en cotte bleue.

— Jamais avant le travail ! tranche Harry's, catégorique.

. . . .

Trois gueules, dix pattes et deux cents kilos de bagage. Tout ça tourne, toute l'année, à la faveur de demi-tarifs en troisième classe. L'an dernier il y avait une « gueule de plus », celle du caniche blanc qui est mort : un vieux cabot hors d'âge, routier fini, qui connaissait tous les établissements de France et de l'étranger. Harry's le regrette et vante encore les mérites de défunt Charlot.

— Il savait tout faire, Madame. La valse, le saut périlleux, le tremplin, les trucs de chien calculateur, tout ! Il m'en aurait appris, à moi qui en ai dressé quelques-uns, pourtant, des chiens pour les cirques ! Il aimait son métier, et rien que ça, et il était bouché pour le reste. Les derniers temps, vous n'en auriez pas donné quarante sous, si vous l'aviez vu dans la journée, tout vieux, quatorze ans au moins, tout raide de rhumatismes, avec les yeux qui pleuraient et son nez noir qui tournait au gris. Il ne se réveillait qu'à l'heure de son travail, et c'est là qu'il fallait le voir ! Je le maquillais comme une jeune première : et le cosmétique noir au nez, et le crayon gras pour ses pauvres yeux chassieux, et la poudre d'amidon tout partout pour le faire blanc comme neige, et les rubans bleus ! Ma parole, Madame, il ressuscitait ! Pas plutôt maquillé, il marchait sur ses pattes de derrière, il éternuait, il n'avait pas de cesse qu'on frappe les trois coups... Sorti de scène, je l'enveloppais dans une couverture et je le frictionnais à l'alcool. Je l'ai bien prolongé, mais ça ne peut pas durer éternellement, un caniche savant !...

« Ces deux-là, mes chiennes, elles vont bien, mais ce n'est plus ça. Elles aiment leur maître, elles craignent la cravache, elles ont de la tête et de la conscience, mais l'amour-propre n'y est pas. Elles font leur numéro comme elles tireraient une voiture, pas plus, pas moins. C'est des travailleuses, c'est pas des artistes. A leur figure, on voit qu'elles voudraient avoir déjà fini, et le public n'aime pas ça. Ou bien il pense que les bêtes se moquent de lui, ou bien il ne se gêne pas pour dire : « Pauvres bêtes ! ce qu'elles sont tristes ! Ce qu'on a dû les martyriser pour leur apprendre tant de singeries ! » Je voudrais les voir, tous ces messieurs et ces dames de la Protectrice, en train de dresser des chiens ! Ils feraient comme les camarades. Le sucre, la cravache ; la cravache, le sucre ; et une bonne dose de patience : il n'y a pas à sortir de là... »

Les deux « travailleuses », à cette heure, ne se quittent pas de l'œil. Manette tremble nerveusement, perchée sur un billot de bois bariolé ; Cora, en face d'elle, couche les oreilles comme un chat fâché...

Sur un trille de timbre, l'orchestre interrompt la lourde polka qui trompait l'attente du public, et commence une valse lente ; comme obéissant à un signal, les chiennes rectifient leur attitude : elles ont reconnu *leur* valse. Cora bat mollement de la queue, dresse ses oreilles et prend cette expression neutre, aimable et ennuyée, qui la fait ressembler aux portraits de l'impératrice Eugénie. Manette, insolente, luisante, un peu trop grasse, guette la montée pénible du rideau, puis l'entrée d'Harry's, bâille, et halète déjà, d'agacement et de soif...

Le travail commence, sans incident, sans révolte. Cora, avertie par un cinglement de mèche sous le ventre, ne triche pas au saut des barrières. Manette marche sur les pattes de devant, valse, aboie, et saute aussi les obstacles, debout sur le dos de la colley jaune. C'est de l'ouvrage banal, mais correct ; il n'y a rien à redire.

Les gens grincheux reprocheraient peut-être à Cora

son indifférence princière, et à la petite fox son entrain
factice... On voit bien qu'ils n'ont pas, les gens grincheux, des mois de tournée dans les pattes, et qu'ils
ignorent le fourgon à chiens, l'auberge, la pâtée au
pain qui gonfle et qui ne nourrit pas, les longues heures
d'arrêt dans les gares, les trop brèves promenades hygié-
niques, le collier de force, la muselière, l'attente surtout, l'attente énervante de l'exercice, du départ, de la
nourriture, de la raclée... Ils ignorent, les spectateurs
difficiles, que la vie des bêtes savantes se passe à
attendre, et qu'elles s'y consument...

Les deux chiennes n'attendent, ce soir, que la fin du
numéro. Mais dès la chute du rideau, quelle belle
bataille ! Harry's arrive juste à temps pour les arracher
l'une à l'autre, mouchetées de morsures roses et leurs
rubans en loques...

— C'est un genre, Madame, un genre qu'elles ont
pris ici ! crie-t-il, furieux. Elles camaradent bien,
d'habitude, elles couchent ensemble, dans ma chambre,
à l'hôtel. Seulement, ici, c'est une petite ville, n'est-ce
pas ? On n'y fait pas comme on veut. A l'hôtel, la
patronne m'a dit : « Je veux bien d'un chien, mais pas
de deux ! » Alors, comme je suis juste, je laisse tantôt
l'une, tantôt l'autre de mes chiennes passer la nuit au
théâtre, dans le panier cadenassé. Elles ont compris tout
de suite le roulement. Et c'est tous les soirs la comédie
que vous venez de voir. Dans la journée, elles sont
douces comme des moutons ; à mesure que l'heure de

boucler approche, c'est à qui des deux ne restera pas
dans le panier grillé ; elles se mangeraient de jalousie !
Et vous ne voyez rien ! Ce qui est un vrai spectacle,
c'est la tête de celle que j'emmène avec moi, qui fait
exprès de japper, sauter à côté du panier où j'enferme
l'autre ! Je n'aime pas l'injustice avec les bêtes, moi.
Je pourrais faire autrement que je le ferais, mais quand
on ne peut pas, n'est-ce pas ?...

Je n'ai pas vu Manette, ce soir, partir, arrogante et
radieuse ; mais j'ai vu Cora, enfermée, figée dans un
désespoir contenu. Elle froissait contre l'osier sa toison
blonde et tendait hors des barreaux son doux museau
de renard.

Elle écoutait s'éloigner le pas de son maître et le grelot de Manette. Quand la porte de fer se referma sur
eux, elle enfla sa poitrine pour jeter un cri ; mais elle
se souvint que j'étais là encore, et je n'entendis qu'un
profond soupir humain. Puis elle ferma les yeux fièrement, et se coucha.

LA PETITE CHIENNE A VENDRE

Chez moi. Le marchand de chiens entre, tenant à la main une boîte noire, percée d'un étroit judas grillé.

LE MARCHAND DE CHIENS. — Bonjour, Madame, et la santé ? J'apporte la petite bête que je vous ai parlé dernièrement. Une vraie miniature. Vous allez m'en dire des nouvelles !... J'ai bien cru que je ne l'aurais pas, vous savez ! Nous étions à trois dessus. Mais l'éleveur est un cousin de ma femme, et j'en ai fait pour ainsi dire une affaire de famille. Tel que vous me voyez, j'ai voyagé toute la nuit depuis Bruxelles avec ce petit bétail-là. Et quel vilain temps !...

LA PETITE CHIENNE, *dans la boîte, pendant que le marchand parle.* — Ouvrez-moi ! oh ! ouvrez-moi !... ... je n'en puis plus... ouvrez-moi... Depuis des heures et des heures mortelles, je suis dans cette boîte, et il me semble que je suis tout près de mourir... Ouvrez-

moi ! le fracas des roues roule encore dans ma tête, les
secousses du voyage sans fin m'ont jetée contre les murs
de ma cage ; j'ai mal à mes oreilles, à mon museau fiévreux, à mes pattes grelottantes... Si vous vouliez
m'ouvrir !...

LE MARCHAND. — C'est une chienne, comme je vous
l'avais dit. Treize mois, la maladie faite, les oreilles
coupées, propre à l'appartement... Voilà l'objet. (*Il
rabat un des côtés de la boîte noire et appelle :*) Kiss !
Kiss ! Venez vite voir la dame, venez vite !

LA PETITE CHIENNE, *blottie au fond de la boîte, épouvantée.* — J'ai peur, j'ai peur ! C'est encore l'homme...

LE MARCHAND. — Elle est un peu déconcertée, mais
ça va se passer... Kiss ! Kiss !...

LA PETITE CHIENNE. — C'est l'homme de cette nuit !
Dieu ! ces mains !...

LE MARCHAND, *saisissant la petite chienne.* — Prenez-
la en mains, est-ce qu'elle les pèse, ses neuf cents
grammes ?

LA PETITE CHIENNE. — La lumière m'aveugle. Où
suis-je ?

LE MARCHAND. — Et nette ! et gentille ! et gaie surtout ! un vrai petit singe pour la gaîté ! Vous allez voir :
Kiss ! Kiss ! (*Il fait des agaceries à la petite chienne, la
pince un peu, la secoue par l'oreille.*)

LA PETITE CHIENNE, *palpitante.* — Encore !... Qu'ai-
je commis ? Je n'ai pas mordu, je n'ai pas crié : pourquoi me tourmente-t-il ? Je me fais plus petite, et

j'essaie, de mes yeux suppliants, d'attendrir l'homme...

LE MARCHAND. — ... Que non, qu'elle n'a pas peur de moi, allez ! C'est une vraie petite commère. Elle sait faire la belle et donner la patte : vous allez voir, je vais la mettre sur la table...

LA PETITE CHIENNE. — Pitié, pitié ! que vais-je subir encore ? Il y a une personne inconnue, dont la voix est plus douce que celle de l'homme... Est-ce pour elle que je suis ici ? ou bien dois-je repartir dans la boîte noire, secouée au bras de l'homme affreux ?... Je vais implorer l'inconnue, en tremblant, presque sans espoir...

« Toi qui es là, et que je ne connais pas, toi qui as passé sur ma tête chaude une main légère, tu vois, je suis là, toute petite, au milieu d'une table. Il n'y a rien de plus faible et de plus misérable que moi. Je n'ai pas de maître, je n'ai que des tourmenteurs. Je n'ai pas de maison, je n'ai que cette prison noire, après la case puante, mais parée de rubans bleus, dans la vitrine contre laquelle les passants riaient de moi... Mon seul ami fut pendant quelques jours un chaton angora, malade et frileux, qui a fini par mourir. J'ai faim. Je ne me souviens pas d'avoir mangé aujourd'hui. Mais ils m'ont donné une pilule, parce que mon ventre me faisait mal et que je souillais mon coussin sans pouvoir m'en empêcher. J'ai soif aussi : ils ont oublié de me donner à boire. Mais surtout j'ai froid, et je frissonne sans remède, tant il me semble que jamais plus je ne dormirai enfermée dans la chaleur de deux bras aimants... Je n'ai pas même de nom... Là-bas, d'où je viens, on me disait : « Mirette... », mais l'homme, ici, appelle : « Kiss ! Kiss !... » Je suis ce qu'il y a de plus abandonné, de plus triste au monde : une bête à vendre... Ma gorge se serre. Trouveras-tu ma robe assez belle, couleur de froment mûr, et mon masque de velours noir ?... Ne fais pas attention à mes oreilles, qu'un méchant a taillées. Oublie-les. Ou bien crois que ce sont de petites cornes, une coiffure bizarre qui fait rire. Le méchant m'a coupé aussi la queue, et depuis ce temps-là je ne m'assois plus de la même façon. Mais ces tortures-là sont anciennes et guéries : oublie-les.

« Regarde mes yeux. Ne regarde que mes yeux ! Ils sont si grands, tantôt bruns et dorés comme la noisette, tantôt noirs comme l'eau dans l'ombre. Regarde-les ! Puisses-tu comprendre ce qu'ils promettent ! Si tu m'aimais un jour, ils te verseraient la chaleur fidèle d'un cœur qui bat d'anxiété... Si tu voulais, je resterais là, dans cette chambre où le feu brille. Je me cacherais sous un meuble, et on laisserait mourir en repos la petite chienne à vendre... Comment te séduire ? Tu ne me trouves pas assez belle ?... Une dernière fois, je lève sur toi mes yeux humides, et je te tends, comme on m'a appris, une petite patte mendiante... »

LE MARCHAND. — ... C'est vous dire qu'à ce prix-là elle n'est pas chère. C'est le prix que madame Verdal m'a payé la sienne, qui pèse une bonne demi-livre de plus. Savez-vous ce que je l'ai payée, moi ? le savez-

vous ?... Non, je ne vous le dirai pas, parce que vous
auriez le droit de me traiter de vieille bête ! On aime les
chiens, ou on ne les aime pas, et moi, c'est ma passion.
Je les garderais tous, si j'avais les moyens, mais je n'ai
pas les moyens. Vous connaissez les chiens, vous savez
aussi bien que moi ce qu'elle vaut, cette brabançonne-
là. Vous le savez même mieux que moi... Combien que
vous dites ?... Oh ! très bien. Très bien, très bien. Je
vois que Madame est de bonne humeur ce matin, mais
j'ai autre chose à faire que de prendre du bon temps !
Ah ! si j'avais su... Je ne me serais pas dérangé si loin
de mon quartier pour m'entendre traiter de petit commis. J'avais dans l'idée, en venant, de me laisser
rabattre cinquante francs, mais il y a des bornes...
Allons, Kiss, revenez vite dans sa petite maison avec
son père ! (*Il prend la petite chienne.*)

LA PETITE CHIENNE, *raidie, les yeux fermés.* — Ah !
je suis perdue !...

.   .   .   .

LA PETITE CHIENNE, *revenant à elle.* — Où est-il ? où
est-il ? où va-t-on m'emporter ? Ne me touchez pas !
ne me touchez pas ! Je puis encore mordre avant de suc-
comber... Où est-il ? Je n'entends plus sa voix terri-
fiante. Voici la chambre où il m'amena tout à l'heure.
Qui me tient ? Deux bras précautionneux me bercent,
et une douce main palpe ma fièvre... Je n'ose pas regarder... Une cuiller tinte contre une tasse... A boire !
à boire !... Ah ! ce lait tiède !... Encore, encore ! Qui

remplit une seconde fois cette soucoupe ? C'est donc
toi, toi que j'ai suppliée tout à l'heure ? As-tu donc
deviné ce que disent les yeux d'une bête à vendre ? Les
tiens sont tristes, et comme tu secoues la tête ! Permets
que je caresse ta main qui m'a soignée... Chut ! n'est-ce
pas lui qui revient ? S'il allait revenir et me prendre...
Non, cela n'est pas possible... Laisse que je consulte tes
yeux... Tu ne ris pas, tu ne pousses pas de petits cris
autour de moi, avec des battements de mains et des baisers maladroits, comme celles qui se sont amusées de
moi un instant, pour me rendre après à l'homme... Tu
es triste, et tu me serres contre toi, c'est pour me
défendre ?... Garde-moi ! je me donne. Nous sommes
seules. Veille sur ma confiance, sur mon sommeil qui en
est le gage. Ne me quitte pas ! Car je suis faible et
malade, et je ne pourrais dormir aujourd'hui hors de
ton sein, où j'ai retrouvé un peu de la chaleur maternelle...

EXPOSITION CANINE

Où donc ai-je vu ces chiens-là ? Ici, l'an dernier, à pareille époque. Je reconnais ce lévrier, incapable de commander à ses nerfs, et dont la plainte a le charme d'un chant. J'ai déjà hoché la tête devant ce petit brabançon résigné, qui enferme tant de sagesse dans son cerveau en bille et dans ses yeux d'écureuil. Les bulls ronflent comme un dortoir de caserne, et le dobermann-pinscher fait tout ce qu'il peut pour imiter la distinction bien française des beaucerons. Ceux-ci, arrachés à leurs troupeaux par une vogue commerçante, s'ennuient avec pudeur et croisent leurs beaux doigts secs et rouges de gentilshommes campagnards. Il y a aussi, sur des coussins, baignés des parfums combinés du crésyl, de l'iodoforme et de l'eau de Cologne, il y du loulou, du pékinois, du griffon belge, du toy-terrier. Il y a aussi, en bonne quantité, et libre, de la dame qui aime les bêtes, qui n'a pas sa pareille pour enlever de terre un

toy par une patte et la lui démettre, et pour fourrer un
doigt ganté dans l'œil d'un petit bull...

La semaine dernière, cet air criblé de cris menus
retentissait de la voix des meutes. Des gorges profondes,
expertes, clamaient longuement le regret des forêts ou
des calmes siestes au chenil.

. . . .

CHIENS SANITAIRES

Le vent souffle de l'est, et la neige ne fond pas, sur les hauteurs de Meudon. Mais Nelly et Polo, « chiens sanitaires », sont au chaud sous leur rude chape de poil. Quand ils lèvent la tête vers le capitaine X..., on voit leur médaillon officiel, leur croix-rouge de brancardiers.

... Un homme est dans le bois, couché sur la neige, un autre gît par là, très loin, au creux d'un fossé gelé. Il s'agit, pour les chiens, de les trouver et de les « signaler ».

— Allez, Nelly ! Allez, Polo !

Nelly est une doyenne, une chienne de berger allemande, alourdie par l'âge, blanche au museau. Elle fait son métier en vieille routière, elle « croise » sagement, ménageant ses forces, tandis que Polo, bouvier des Flandres, l'œil en or, fougueux et jeune, flaire le vent, s'agite, puis fonce droit devant lui... Nelly, qui s'éloigne, est toute petite au milieu d'un pré, où son trot crève des miroirs de glace dont nous entendons le bris musical. Soudain elle s'arrête, penchée sur quelque chose que nous ne voyons pas, et rit de tout son corps ; la queue fouette, les reins frétillent, nous devinons d'ici son sourire de renard aux lèvres relevées... Puis elle saute et disparaît dans un pli de terrain.

Mais déjà Polo revient, fauve sur la neige, au galop, un képi aux dents ; l'eau d'un ruisseau traversé gèle sur lui et colle ses poils, un glaçon coupant a fendu la peau de sa patte, mais il exulte, il ne sent ni le froid, ni le mal, il remet le képi, la « preuve », à son maître, et l'emmène vers l'homme gisant...

— Et Nelly ?... Ah ! la voilà !

La doyenne retraverse le même pré, franchit les mêmes flaques gelées ; à chaque saut, on voit danser son dos de louve engraissée...

— Mais... elle ne rapporte rien ? Elle n'a rien trouvé ? Oh ! Nelly !

L'honnête travailleuse ne couche pas les oreilles sous le blâme, et dépose dans la main du capitaine X... une petite croûte de fromage de gruyère. Car son homme, à elle, n'avait ni képi, ni mouchoir, et le museau habile, plongeant dans une poche de l'homme inerte, n'a trouvé que cette preuve, tentante, mais sacrée, où les dents de Nelly ont à peine marqué.

Et malgré nos rires et ceux des « blessés » qui nous rejoignent poudrés à frimas, chacun de nous songe probablement au jour où le jeu, la leçon seront la vérité

sombre, où cent, où mille hommes couchés sentiront
leur sang tiède se refroidir sur la neige — l'attente...
la nuit qui vient... l'espoir de la bête intelligente, du
brancardier à quatre pattes qui n'a jamais peur, qui
n'est jamais fatigué, qui voit et flaire à travers
l'ombre... L'attente... la vie qui s'en va et, soudain
l'haleine canine, le museau frais, la langue amicale qui
essuie ensemble le sang et les larmes de faiblesse, — le
secours, toute la chaude vie qui revient...

Planche II

« Point de repos !... C'est le temps où je m'évadais, comme par magie, chaque fois que s'ouvrait la porte de la rue. Je me glissais, d'une course aplatie de rat, dans l'entrebâillement, ou je rampais, grise, dans l'ombre d'une jambe, sous l'ourlet d'une jupe.

« M'avez-vous cherchée ! Je vous ai vus haletants, oubliant de dîner, et criant les yeux pleins de larmes : « Mirette ! » Vous m'avez repêchée dans un ruisseau plein, dénichée sous l'établi du menuisier d'en face, et chez le tapissier, et dans la maison du terre-neuve, et dans le giron de la crémière qui m'abreuvait de lait chaud.

« Point de repos !... Je me suis noyée, presque, dans un tub, j'ai brûlé mon nez à la bouilloire ; un morceau d'éponge, avalé en secret, m'a mise à deux doigts de ma fin... Souvenez-vous, en soupirant de fatigue, de ces jours empoisonnés !

« Ce n'était point assez : je voulus vos nuits sans sommeil. Vers deux heures du matin, je m'éveillais — vous vous rappelez ? — pour exiger ma balle en caoutchouc, la patte de lapin, le vieux gant de peau déchiré... Jamais douce, jamais câline, je jouais comme on se bat, à en mourir, et mon sommeil fourbu n'assurait pas votre quiétude, car je tombais de rêve en cauchemar, de cauchemar en convulsions nerveuses...

« Vous n'avez pas oublié ce temps d'épreuve, ni la veilleuse allumée sous le lait parfumé de fleur d'orange, ni la potion au bromure que je recrachais en râlant, ni

« Que vous êtes grands autour de moi, penchés comme des arbres, et lourds, et lentement agités d'un scandale à demi feint ! Déjà la mare minuscule sèche sur le tapis, et vous n'avez pas encore pris un parti ? Ce n'est plus ma faute que vous voyez, mais moi seule. Une responsabilité écrasante pèse sur vous tous, celle de protéger, de prolonger, d'embellir ma scintillante, ma précieuse petite vie d'elfe.

« Comme vous craignez de me perdre ! Une superstition amoureuse vous incline vers moi. Ah ! Ah ! quand je suis entrée ici, vous ne saviez pas qui j'étais ? Une chienne à reflets de poils de taupe, et minuscule, voilà tout ce que vous aviez vu d'abord ?

« Le temps de guérir mon abattement d'arrivée, le temps de dépouiller cette enveloppe anonyme de tristesse, de défiance, de fièvre nerveuse, que toute bête à vendre porte comme une lugubre chemise — et je me suis révélée à vous !

« Avouez-le : vous avez pu croire, les premières semaines, que le démon était entré chez vous ? Point de repos, point de repos pour personne ! Une humeur fureteuse et grognon de marcassin me menait de chambre en chambre, le moindre frôlement contre la porte m'arrachait des cris râpeux de chauve-souris... Tentiez-vous de me laisser seule ? vous me retrouviez à demi étouffée de rage, mais deux d'entre vous portent les cicatrices dont je récompensai leur zèle à me secourir avec sollicitude...

à la maison un petit os verdâtre, odorant, rare... Où l'ai-je mis ? Je ne sais plus. Me voici. Je viens de faire pipi sur le tapis !

« Vous ne me trouverez pas l'ombre d'une excuse ! Non, je n'ai pas lapé trop d'eau dans la tasse bleue. Non, je n'ai pas froid, ni chaud, ni la fièvre, et mon nez est plus frais qu'un grain de raisin sous la rosée d'octobre...

« Qu'allez-vous m'infliger ? J'attends !

« Fourrez-moi le nez dedans, si vous pouvez. Je n'ai pas de nez...Ou battez-moi, si vous osez. Il n'y a pas de place pour la moitié d'une claque sur tout mon corps.

« Je suis trop petite, voilà, je suis trop petite. Je suis plus petite que tous les chiens, plus petite que le chat, que le perroquet dans la cage, que la tortue bombée qui raie en grinçant la mosaïque de la terrasse. N'espérez pas que je grossirai ! Deux étés ont passé déjà sur ma tête sans ajouter une once à mon poids risible. Je suis légère dans la main comme un oiseau, mais dure et toute cordée de muscles. Une outrecuidance d'insecte est en moi. J'ai la bravoure d'une fourmi batailleuse, sur qui le danger passe énorme et négligeable. Je ne le vois pas, je suis trop petite. Myope, je brave un petit morceau de tous les risques, j'aboie autour d'une patte de gros chien, je me fâche contre un fragment de jambe. Une roue de voiture m'a frôlée, mais je n'ai pas vu la voiture, — je suis trop petite.

LA CHIENNE TROP PETITE

La chienne, *avec éclat.* — Oui, c'est moi qui ai fait pipi sur le tapis ! Et après ?...

« C'est moi, et point une autre. Ce n'est pas la bull, ce n'est pas la colley jaune, ni la shipperke aux yeux sournois, ni la terrière farceuse, — c'est moi. Qu'est-ce que vous y pouvez ? Vous êtes là, tous, à dire : « Oh ! » autour de moi et à joindre les mains d'indignation. Et après ?...

« J'ai fait pipi sur le tapis ! Je l'ai même fait exprès, par désœuvrement, par bravade. Il n'y a pas une heure que je me promenais dans la rue, occupant tout le trottoir de mes jeux arrogants, et consternant, par mon effrayante petitesse, trois danois gris à colliers turquoise, veules au bout de leurs chaînes.

« Vous m'avez vue, tous ! J'ai mordu le concierge, j'ai traversé la rue malgré vos cris, poursuivi un chat énorme, déchiqueté un vieux journal délicieux qui sentait le lard rance et le poisson, et pieusement rapporté

3

le sirop Rami que j'acceptais dans une cuillère, mais
que je refusais dans une soucoupe ?

« Toute autre que moi vous eût lassés. Vous me ber-
ciez avec angoisse dans vos bras : « Mon Dieu ! elle est
si petite ! »

« Si petite ? j'emplissais déjà votre univers...

« O vous, mes maîtres souples et bien dressés, je
vous rends ici justice, devant ce pipi qui sèche sur le
tapis : vous avez longuement mérité votre récompense !
Je vous l'ai donnée, et telle qu'elle combla, en une
heures, des semaines de patience. Souvenez-vous,
quand je ne serai plus avec vous, du jour où mon regard,
appuyé sur l'un de vous, ne fut plus celui d'une
chienne trop petite, enragée d'un orgueil de naine et
d'une allégresse de farfadet, mais celui d'une amie qui
se donne ! Je me souviens, moi, de ma soudaine gravité,
et de cette suavité accablante qui me couchait toute sur
une de vos mains tendues !... C'en était fait : je vous
aimais. Je savourais l'irrémédiable mélancolie de chérir
qui vous aime, et, par avance, l'amertume des sépara-
tions nécessaires, la crainte affreuse de perdre ce que
l'on a douté de posséder jamais...

« Usez de moi, à présent, comme j'use de vous. Vous
ne pouvez me demander trop. Mon cœur, gros comme
un cœur de rossignol, bat et se consume d'aimer. J'ai
gardé, pour vous plaire, ma gaîté d'insecte puissant et
le goût d'une tyrannie bénévole. Je fais parfois pipi
sur le tapis, par désœuvrement. Je cours encore sur le

bord des tables, pour vous entendre crier : « Ah ! »
tandis que vous tendez tous les mains vers moi ; je feins
de m'élancer dans la pièce d'eau, pour vous voir pâlir
un peu ; mais c'est pour vous reconquérir, après, d'un
regard où rayonne mon âme de lutin tendre, léger
comme une flamme, trop petit pour tomber, trop petit
pour mourir... »

CHIENNE BULL

— Encore une chienne bull ?

— Vous voyez.

— Mais pourquoi encore une chienne bull ?

— Sans doute parce que je manque d'imagination...

— D'autant plus que celle-là ressemble incroyablement à l'autre, qui est morte... Mais incroyablement !

Incroyablement. Tu l'entends, ô chienne ? C'est le seul mot sensé qui se soit échappé de cette dame, cette dame devant qui tu tiens ton sérieux. Incroyablement, en effet, tu ressembles à la chienne écrasée il y a dix ans. Je pourrais m'écrier : « C'est la même chienne ! » et croire qu'elle a seulement patienté, médité, progressé, pendant ses dix années d'absence. Ainsi attendent sous la terre des germes, étirés, obstinés, chercheurs, jusqu'à ec qu'ils trouvent l'issue et s'exhument vivaces... Peut-être qu'elle a, cette chienne — que tu as cheminé sous la terre à ma recherche, depuis ta mort...

« Pourquoi encore une chienne bull ? » Ce n'est pas
à *ces gens-là* que nous donnerons des explications, toi
ni moi.

Si, dans ma maison, une bassette succédait à un basset, ou un loulou à un loulou, je n'aurais pas l'idée de
demander au nouveau venu : « Rappelle-moi celui qui
te précéda dans mon amitié. Parle-moi de lui, aboie
dans le même ton, gratte à son exemple le trou de la
taupe... » Bien loin de là — j'ai eu grandement le temps
de vingt expériences — j'aime que le petit chien à fin
museau, le berger sage, le griffon, nouveaux, apportent
à ma maison un nouvel hôte, et les surprises d'un caractère inconnu.

Il n'en va pas de même pour le bouledogue, et je
hausse jusqu'à lui son diminutif, le lutin à tête ronde,
camard, grignard, valeureux : le terrier brabançon à
poil ras. Entre un chien à crâne rond et un chien à
crâne plat, la différence est si grande qu'il m'arrive de
dire : « J'avais à cette époque-là un bouledogue et un
chien. » La bull dit comme moi avec cette nuance qu'elle
pense : « Tiens, un chien », lorsqu'elle rencontre un
bouledogue. Quand elle rencontre un chien ordinaire,
elle ne pense rien, parce qu'elle ne regarde pas les
chiens. Sur quatre chiennes bouledogues, je n'en ai pas
possédé une qui consentît à causer avec un basset, ou
un lévrier, ou un berger. Le temps, semestriel, des
accouplements n'amendait point leur mépris. Une sorte
de stupeur, au plus fort de leur trouble sexuel, les

immobilisait parfois, lorsqu'un « étranger » fougueux, le poil flottant, la langue hors d'un long museau héraldique, prétendait se rendre maître d'elles. Je les voyais fixées au sol, l'œil privé de pensée, mais l'assaut même n'obtenait pas qu'elles se détournassent vers l'intrus. Le bouledogue n'aime, au sens pur, total du mot, qu'une seule race d'animaux : la nôtre.

Comprenez bien que je ne chante pas ici le serviteur parfait dont le berger de Beauce vous fournit un modèle classique : zèle vertueux, empressement effacé et juste, toutes vertus qui sont celles du valet affectueux, né et vieilli dans la famille. Non. Je n'affirmerais même pas que le bouledogue, au sens où généralement vous l'entendez, « garde » bien. Il est trop entiché de l'humanité pour haïr un homme qui ouvre une porte, fût-ce à l'aide d'une pince monseigneur. Je n'ai jamais eu l'idée de demander à mes chiens leurs secours contre mon semblable.

La garde qu'ils montent autour de moi se passe de démonstrations hostiles. Ne savent-ils pas que la présence constante est la meilleure sollicitude ! Leur plein silence fait honneur à eux autant qu'à moi, quand sonne l'heure du silence. Ils me laissent en paix, je ne les trouble pas. S'ils m'attendent, — et que feraient-ils sinon m'attendre, toute leur vie ? — du moins ils patientent hors d'une veille démoralisante, qui résonne de soupirs et de plaintes mineures. Je n'ai pas failli à mon premier devoir envers tout compagnon : lui

apprendre à se suffire. Chienne bouledogue, quatrième
chez moi du sexe et de la race, quand je me promène,
tu te promènes. Tu savoures l'excursion, *ton* excursion.
Je muse, tu bats le buisson, tu suis une piste de lapin,
ou tu insultes la taupe au fond de son trou. Je n'ai pas
de balle de caoutchouc dans ma poche, tu ne réclames
ni le silex rond, ni le marron d'Inde, je n'irai pas jusqu'à dire que tu le refuses... A chacune de nous son
plaisir, ses soucils, son oubli, sa chasse... Que je traverse la chaussée, te voilà sur mes talons, et tu t'em-
barques, tremblante de foi et d'horreur, si je monte en
canot.

« Incroyablement... Elle ressemble incroyablement à
l'autre chienne ! » Louons le hasard bienveillant,
chienne, qui nous mit sur le même chemin — le hasard
et ma circonspection, le hasard et un certain gabarit
inflexible qui étreint l'étrange petit « bouledogue français ». J'accorde qu'on achète un loulou, rince-
bouteilles ravissant, par foucade, et que l'œil en bille,
latéral et câlin, du brabançon vous séduise d'un coup.
Mais on n'achète par caprice ni une maison, ni un cheval, ni une chienne bouledogue. Derrière ta grille de
sujet à vendre, sous ton diplôme de « premier prix » tu
attendais, avec une sagesse que je *reconnus*. Tu m'as
regardée — pas trop. Tu ne manifestais ni désespoir à
grands cris, ni morbide impatience. Ton bel œil brun,
sagace, troublé d'or, exorbité, ne riait pas au passant,
ni ne mendiait ; je *reconnus* ton orgueil et ton espoir

qui n'avait encore ni nom, ni la forme que tu donnes,
comme nous autres, à ton dieu aimé, la forme d'une
créature humaine. Par deux fois dans la semaine, je
demandai qu'on te tirât de ta cage, qu'on te fît courir et
marcher, et là je *reconnus*, avec un plaisir assez amer,
les petits pieds à doigts très courts comme les pieds de
l'éléphant, un rein bref à souhait, et le jeu vigilant
d'oreilles sans reproche, hautes, promptes en tous sens ;
je *reconnus* le front, siège d'une mémoire qui étonne le
profane, et la petite queue pleine d'esprit.

A ma troisième visite, tu me fis un demi-sourire
vague, et le lendemain je vins te chercher. Tu te tenais
assise sur le coussin de la voiture, attentive à te conduire
avec une correction expectante, tellement que je faillis
te nommer d'un nom que tu n'avais jamais entendu.
Tu répandais la triste et forte odeur des chiens cloîtrés,
et tes dents de seize mois s'engainaient de tartre. Mais,
humiliée dans ta beauté, tu restais fière comme une aris-
tocrate sur la charrette.

Je ne t'adressais guère la parole, je maudissais ton
pedigree, ton patronyme et ton nom de baptême :
quelque chose comme Erika von Meyenberg ; a-t-on
idée !... Je me tendais pour la grande épreuve défini-
tive, notre épreuve, l'essai de ma puissance, de ta pré-
destination. Dans une allée déserte, je te rendis libre,
pour savoir si le lien à peine formé, élastique, un peu
douloureux, se nouait déjà de toi à moi, et si, comme
ta devancière, ta pareille, ton exemple, tu choisirais...

Comme elle tu partis, en aveugle, à travers la verdure
et la poussière de juin. Quand tu atteignis follement le
bord d'une pelouse, je jetai un cri, un cri, puisque je
ne savais pas comment te rappeler, comment te mani-
fester mon pouvoir, comment projeter au loin mon
anxiété, mon exigence, l'envie que tu m'appartinsses.
Sur ce cri tu rompis ton élan, et tu ne balanças qu'un
moment avant de choisir... Tout était dit. Le reste de
notre entente, désormais, ne serait que jeux, plaisirs et
coquetteries, et faciles leçons, puisque sur la pelouse de
Bagatelle tu revenais vers moi « incroyablement,
incroyablement pareille à l'autre chienne » qui n'avait,
il y a dix années, balancé qu'un moment. Tu mesuras
ton allure et nous imitâmes assez bien un couple calme
de vieux amis, cependant que tu butais parfois d'émotion, et qu'amollie par une dépense d'énergie que
connaissent les dompteurs et les amants encore mal assu-
rés dans leur triomphe, je passais à ma ceinture ta laisse
toute neuve et inutile.

LE CŒUR DES CHIENS

« Un, deux, trois... Un, deux... Un... Un... » compte le cœur de la chienne endormie. Dans notre ombre palpite, enfle et se rompt le cœur des bêtes. Au mépris de toute anatomie, j'évoque ce cœur et sa forme de cœur consacrée par l'image pieuse. Il a une gracieuse pointe effilée en bas, deux sommets arrondis comme des seins rapprochés ; il est percé d'une flèche, flamboyant, couronné de roses, couché sur des lys, blessé, trois petits joyaux de sang frais au bord de sa blessure. Ou bien c'est un fruit, le cœur-de-pigeon, cerise peu colorée. Rouge-noir est le cœur du lévrier « plein de cœur » à la course, tellement qu'il en crève.

LES CHIENS ET LA LUNE

Dans ce pays de temps serein, la lune en son plein est un peu effrayante, et je lui préférai toujours les nuits sans planète proche, les constellations, Vénus, le Chariot qui, vu de la terre, se tient juste au-dessus du golfe, timon en l'air. Mardi, la lune démesurée haussait le front au-dessus de l'horizon, impatiente que le soleil mourût en face d'elle.

Le temps qu'elle se détachât des collines basses, elle avait déjà passé par un rouge morne, deux ou trois tons de rose à petites stries grises horizontales. D'une zone verte, puis d'un halo irisé, elle s'échappa et prit la couleur de miel presque blanc qu'elle n'abdique qu'à son coucher, à l'heure où l'horizon la happe de nouveau.

Si belle, et voguant au-dessus d'un des plus beaux pays du monde, je ne l'aime pas beaucoup. Mercredi, elle avait son sommet droit déjà un peu écrasé. Mais elle affolait encore les chauve-souris, qu'elle éblouit. Les chiens ont à cause d'elle des hallucinations, et s'élancent contre leurs amis. Mettez un masque, ou seulement un chapeau un peu étrange, par soirée de pleine lune, votre chien refusera de vous suivre.

. . . .

Photo Roger-Viollet.

Planche III

Photo Roger - Viollet

CHIENS DES VILLES

A vivre dans une grande ville, à dépendre unique-
ment de ses habitants, la bête devient terriblement
prompte. Elle traduit nos gestes, enregistre nos habi-
tudes. Notre ponctualité forme la sienne.

. . . .

Un chien, recueilli par un libraire, ne consentit pas à
abdiquer ses chances et ses coutumes d'animal errant.
Il fit comprendre à son hôte qu'il eût aimé que la porte
restât ouverte. Mais elle se ferma quand l'hiver com-
mença. Alors le chien se mit à une étude plus serrée de
nos mœurs, et il sut qu'un geste des clients amenait
immanquablement l'ouverture de la porte. Il surveilla
donc les allées et venues et acquit la certitude que
chaque personne qui déposait la monnaie sur la caisse
s'en allait aussitôt ouvrir la porte du magasin.

. . . .

Quand j'assumais, il y a une trentaine d'années, la

direction littéraire d'un quotidien, je me rendais à mon bureau cinq après-midi sur sept. Pour ma petite terrière brabançonne, un seul problème se posait : l'emmènerais-je ? ne l'emmènerais-je pas ? Juste avant que j'eusse repoussé mon fauteuil, fermé mon cahier, annoncé mon départ, je voyais, en me retournant, que la terrière était éveillée, debout, prête à sortir, avertie non point par l'heure, qui changeait d'un jour à l'autre, mais par un signal indépendant du manteau, du chapeau, de la paire de gants ou de chaussures. Aussi pensai-je : « Télépathie... », jusqu'au moment où je m'aperçus qu'éliminant un à un tous les mouvements qui pouvaient lui donner le change, la chienne avait donné judicieusement tout crédit au geste le moins visible et le plus significatif : le geste qui consistait à coiffer et visser mon stylo.

LA CHIENNE BEAUCERONNE

. . . . , ...

La suite, c'est la contemplation d'une personne nouvelle, qui est entrée dans la maison sans venir du
dehors. La suite, étrange, c'est le refus hautain, défi-
nitif, de l'austère chienne beauceronne, qui ne consentit plus jamais à entrer dans la chambre du berceau.
Longtemps je luttai pour fléchir cette pensive ennemie
qui ne voulait pas d'une rivale dans mon cœur, jusqu'à
lui offrir sur mes bras ma fille endormie, une petite
main pendante, des pieds nus couleur de rose, jusqu'à
lui dire : « Regarde-la, lèche-la, prends-la, je te la
donne... » La chienne ne me consentait qu'un silence
ulcéré, un regard d'or rouge qui se détournait aussitôt.

. . . .

MODES

. . . .

Voici que la mode du caniche marron touche à sa
fin, et que celle du cocker noir lui survit à peine. Divers
chiens de chasse ont acquis depuis la guerre faveur et
hauts prix, principalement les épagneuls, rouge acajou,
ou truités de blanc et de noir, ou blanc et foie. Vous
pouvez les rencontrer sur les trottoirs, en laisse, avec
l'air de désespoir raisonnable qui convient au chien de
chasse en villégiature à Paris, Sages, certes, l'œil bas,
et insérés dans la queue pour les bananes chez la frui-
tière. Sages, et pourtant doués d'une aptitude singu-
lière à s'égarer. « Perdu entre rue de Miromesnil et
gare de l'Est, setter avec collier sans adresse... Perdu
épagneul breton répondant nom Gamin... Perdu épagneul... » La faute à qui ? Sur qui répandre ma suspi-
cion ? O pauvre épagneul accommodé de repentirs à la
Sévigné, triste sur le trottoir parisien où sèche et se

fendille la corne de vos semelles, si amie des marécages et des fossés obscurs que fleurit la véronique petit-chêne !... « Prends le chien, tu le promèneras en faisant les courses... » Et puis tout d'un coup il n'y a plus de chien, plus de laisse, il n'y a qu'un grand filet plein de salades, de saucisses de Toulouse et de bananes jamais assez mûres, il n'y a plus qu'une pauvre dame démunie de son épagneul... « Perdu marché cours Albert-1ᵉʳ... Perdu marché Saint-Honoré... » Peut-être qu'aux narines subtiles et couleur de chamois de l'épagneul, entre le tréteau des mauvaises oranges et le tréteau des fromages plâtreux, errait l'odeur apportée de Rambouillet dans la botte de cresson, l'odeur des sources, l'odeur du lapereau, l'odeur de l'oiseau, l'odeur qui met, aux pattes de l'épagneul, des ailes, et dans son cerveau étroit de chien dressé, la folie... « Perdu... Forte récompense... »

Le prolifique cocker que la mode tend à délaisser, où va-t-il avec ses portées de huit chiots noirs comme l'Erèbe ? Ses maîtres, par chance, l'aiment pour lui-même, pour sa sentimentalité incurable. Il partage ses soucis entre d'ataviques plaintes cynégétiques et des phrases qu'il a entendues de travers, auxquelles il attribue toujours un sens désobligeant. Il les ressasse et pleure en secret. Nous cherchons à le consoler parce qu'il a de si beaux yeux. « Viens, mon chou chéri, que je t'épingle tes belles oreilles sur ta nuque pour qu'elles ne trempent pas dans ta soupe... » Du moins il ne rejoint pas dans l'oubli le schnauzer à moustache de gendarme et le bedlington à frisure d'agneau qui rappelle, à cause de la bosse sur le nez, feu la duchesse Sforza, née Antokolski... Mais c'est assez offenser les grands élevages obstinés, et madame de Steinbock-Fermor vous dira mieux que moi ce qu'il faut priser dans le svelte bedlington.

Le marché du caniche marron mollit. Reprise sur les cours du caniche noir de jais. Fermeté remarquable de la cote du caniche blanc de neige. Quelques demandes sur le caniche à poils roulés en ficelle. Sur le caniche marron, notons la fidélité de certains amateurs, tels que mademoiselle Hilda Gélis-Didot et Francis Carco. M. Watermann s'attache au caniche noir-de-jayet. J'en oublie, exprès. J'omets certains taillés comme des ifs, leurs reins sensibles et nus exposés à la morsure du rhumatisme, le cheveu et la barbe à la Victor Hugo ou à la Bébé Bérard.

La vogue du boxer est à son apogée. Aucun caractère de chien ne le méritait mieux, le bouledogue excepté. La femelle a toutes les vertus, d'amitié, de maternité. Et si valeureuse au combat qu'il faut craindre qu'elle y périsse. Je parle après une expérience qui nous donna pour amie une nommée Gertrude, courte, saucissonnière parce que trop nourrie, à qui ses resplendissants iris pailletés valurent le surnom de « La Fille aux yeux d'or ». Elle savait aimer autant que haïr, et montrait, à ses rivales de toutes races, ses dents sous sa noire lèvre

retroussée. Mais dans ma famille qui l'avait recueillie,
elle partageait entre nous tous une tendresse quasi
enivrée, gémissante, — les boxers chantent et voca-
lisent — qui n'excluait pas les chats. O boxeresses mas-
quées de noir, et plissées de seyantes rides ! Vous voici
à l'honneur, et je suis encore près de m'émouvoir, au
passage de votre raciale odeur de poil ras, de petit
cheval chaud et de gueule saine ! Votre manière inou-
bliable d'entrer, âme et corps, dans un cercle de
famille, d'y rêver l'œil sur le feu, d'écouter les voix, les
pensées, le choc de la dernière porte, un pas au plafond...

Voilà, je pense, une amende honorable, payée à la
gent canine ? Je ne la lui ai jamais marchandée. Mais
une longue expérience m'apprit que nous déchaînons
trop aisément le communicatif lyrisme du chien. Trois
mots, leur accent, une caresse, et le chien éclate, peu
maître de ses nerfs, de son langage. « Et allez donc, tout
de suite les larmes ! » blâmait ma mère. N'empêche
qu'il était beau, ce sphinx presque sans secrets, assis
parmi nous.

Elle s'appelait Gertrude. Elle s'asseyait sur sa cuisse
pliée, comme une femme nue, et songeait, face à la
flamme. La vie d'un chien émotif est bien courte !

MÉDICINALES

. . . .

Je n'ai guère distingué mon désir de m'instruire, à l'époque de l'enfance, de cette faim qui mène, comme le chat au chiendent, l'enfant à la groseille poilue, à l'oseille sauvage, à la pimprenelle. L'enfant en sait beaucoup moins là-dessus que l'animal, principalement que le carnivore, imbu d'hygiène végétarienne. Ma dernière bouledogue, à Saint-Tropez, cueillait des remèdes comme au hasard, dans un besoin de vomir tel qu'elle n'arrivait pas à le satisfaire assez vite. Une fois elle mangea d'abord le chiendent réglementaire, saliva, brouta un jeune abricotier sauvage qu'elle dépouilla entièrement de son feuillage, puis tituba égarée, avant de consommer un beau zinnia duquel elle laissa la fleur, enfin se délivra de sa bile, que le climat méridional agitait. Pour les zinnias, j'ai pu constater qu'elle en faisait une habitude.

. . . .

LA PEUR

Une épidémie étrange fait des victimes parmi les chiens, l'épidémie de la peur. Par chance, ceux qui l'observent sont dénués d'imagination et solidement arrimés à leur science. Ils ont acquis déjà que la peur épidémique n'a rien de commun avec la rage, que le régime alimentaire n'en peut être responsable, enfin que l'étiologie en demeure obscure. Nous voilà bien aise de savoir ce que les chiens, atteints de peur, n'ont pas. Quant à ce qu'ils ont, c'est une autre affaire.

J'ai possédé, un an environ, une petite chienne, Belou, qui avait peur. Une brabançonne croisée de griffon belge, assez sotte, très gaie, gourmande. Au cours d'une promenade, il lui arrivait de s'aplatir brusquement. Toutes les pattes écartées, tremblante, elle semblait subir un passage effrayant, le contact direct de l'invisible. Au bout d'une minute, elle se relevait, se secouait dans sa peau, et repartait non sans regarder avec inquiétude derrière elle.

Un jour qu'un bâton, que je lançais pour que mon autre chienne le rapportât, vola dans l'air au-dessus d'elle, Belou se comporta exactement de la même façon. Mais elle n'eut jamais d'attaques d'épilepsie.

Avant Belou, combien de chiennes m'ont prouvé qu'elles percevaient devant moi des sons, des présences qui restent inaccessibles aux sens humains ? Une grande bas-rouge, douée d'autant de perfections qu'il en fallait pour m'humilier à toute heure, recevait les appels d'un monde où j'eusse voulu, sous sa garde, pénétrer. Sourires sans objet, faibles battements de la queue, félicité contenue, elle dédiait le plus subtil d'elle-même à des visiteurs — plutôt à un visiteur, que je n'ai jamais vu. La première inquiétude passée, je m'y habituai, ou mieux je reconnus les droits de l'hôte. S'il eût été maléfique, la chienne me l'aurait dit.

. . . .

Un seul détail me rend pensive : l'épouvante des chiens, touchés par ce que l'homme raisonnable, ce brave type sans imagination, nomme l'épidémie. Je sais bien que le chien aussi manque de lyrisme, et que notre long contact, l'idée que nous nous faisons de lui, les conditions matérielles que nous lui imposons ne cessent de l'avilir. Quand même, il s'agit de manifestations collectives. Plusieurs chiens s'épouvantent à la fois, se comportent identiquement comme des bêtes menacées, poursuivies. Qui donc prend la place des doux fantômes dont les mains transparentes flattent, à notre insu, l'échine canine ? J'aimerais consulter un chien qui *reconduisait*, jusqu'aux limites d'une propriété, un hôte préservé de notre vue grossière et que le soir bannissait. Mais le chien est mort.

Ne désespérons pas de percer nos propres ténèbres. Simple, impénétrable encore, léger sur ses pieds de songe, peut-être l'invisible s'approche-t-il enfin de nous ? Les chiens s'effarent, la terre tremble çà et là, un poisson inconnu échoue sur notre côte océane, et, Dieu merci ! le Grand Serpent soulève, sur son dos de cent pieds, la surface de la mer...

COURSES DE LÉVRIERS

. . . .

Courbevoie, les courses de lévriers. Je n'avais jamais vu les lévriers dans leur forme sportive. Le développement des muscles des cuisses leur fait, vus par l'arrière-train, une culotte Saumur. Le dos, les reins sont comme une table. La forme des longs doigts, leur phalange verticale et appuyée sur la terre, le reste du doigt est quasi horizontal. Toute la jambe est comme nue, sa peau fine laisse transparaître tendons et os, et surtout la liane d'une grosse veine grimpante, délicatement enroulée.

Cloéopâtre, à madame de Marsillac, est un miracle de blancheur, de pudeur, de noblesse. Habituée à triompher, elle a le triomphe doux. Son départ est comme celui d'une truite, animé dès les premières foulées d'une vitesse mystérieuse. Elle passe de l'immobilité aux quatre-vingts kilomètres-heure, et ne quitte

plus la tête. Après, elle se remet au côté de sa proprié-
taire, la consulte avec une douceur passionnée, reçoit
ses soins : le bain de pattes, pour rechercher les petites
égratignures; le bain des yeux criblés de sable ; le lavage
du museau, narines et lèvres.

L'étrange bruit, comme de poitrines humaines,
qu'exhalent les vastes poumons du peloton de lévriers,
après la course, — très différent du halètement canin,
et plus lent.

Dans les boxes, les chiens qui ne courent pas font, au
passage du chariot électrique, de grandes plaintes déso-
lées, des clameurs féminines. Le reste du temps tous
sont muets.

Le disque dépassé, arrêt du peloton. Toutes ces
flèches horizontales, ces longs corps déployés et propul-
sés si puissamment que la reprise au sol, l'X des pattes
croisées n'est bien visible qu'au cinéma ralenti,
s'écroulent, fauchés par l'arrêt brusque. Un lévrier, qui
a perdu un moment son sang-froid de coureur, rebrousse
chemin, s'aperçoit qu'il est seul indûment, urine de
nervosité et erre, honteux, d'un pas flottant, jusqu'à
ce que son homme l'ayant rejoint, sa lucidité, son *cant*,
sa tutelle bien-aimée l'aient rassemblé, repris, recons-
truit, ramené à la norme et à la dignité du lévrier de
course.

La confiance de la bête est complète, comme elle est
indispensable. Aucun tressaillement, aucun recul, ni
refus, sous les mains qui visitent, retournent et lavent

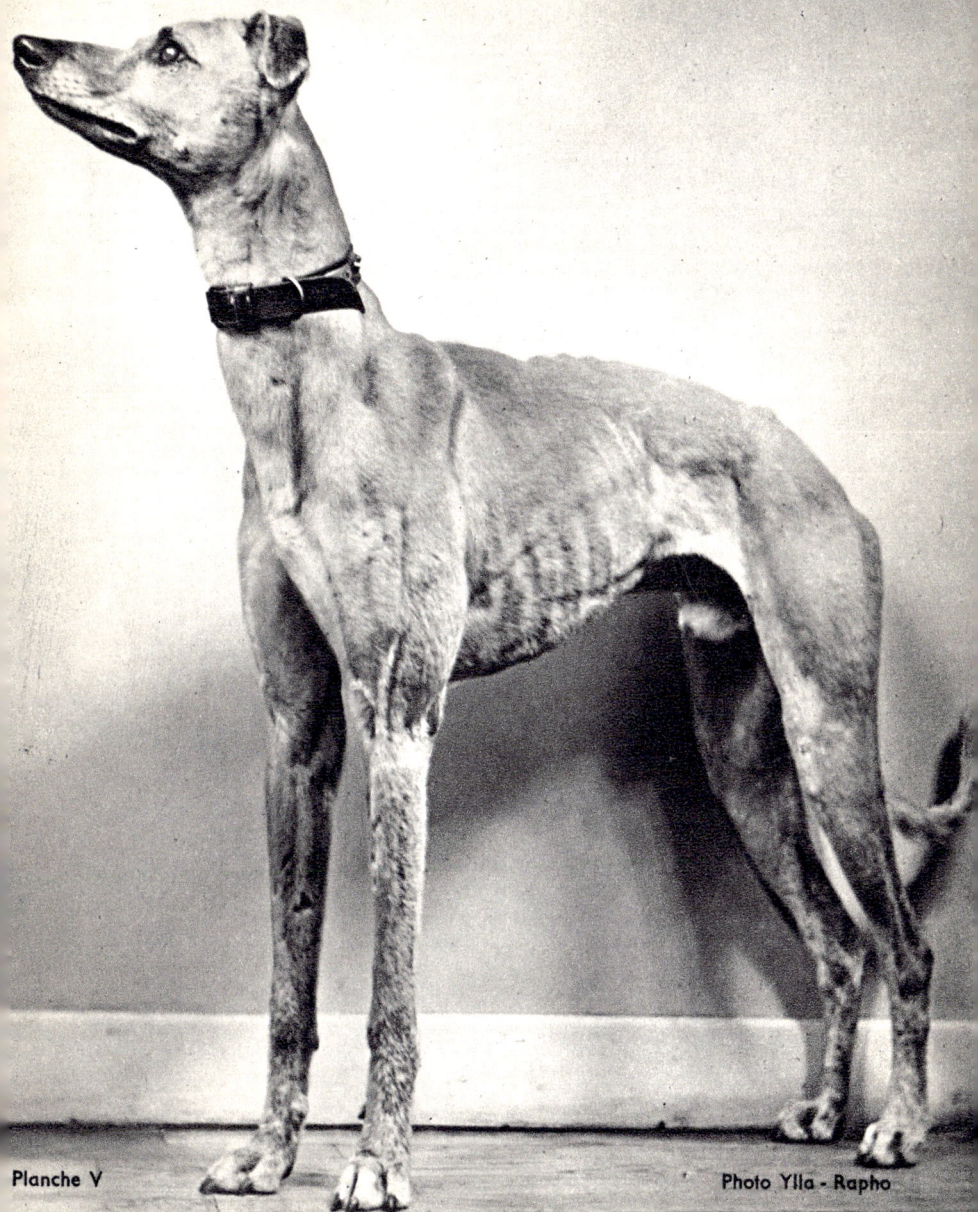

Planche V

Photo Ylla - Rapho

Planche VI.

Photo Guy Withers - Atlas - Photo

les paupières, scrutent l'intérieur des lèvres, écartent, puis pressent les longs doigts secs entre lesquels peuvent se loger une écaille coupante de gravier, une épine.

Tout ce qui est rituel est accepté avec une politesse passive. Le moindre bruit ou geste inusité est enregistré avec une folle vigilance. Le regard qui devient convergent, les oreilles dressées, le cou qui d'onduleux se darde rigide, tout décèle une grande faculté de sentir, et de souffrir.

TOBY

. . . .

Ma fenêtre, au second étage, s'ouvre sur un triste horizon : la cour étroite, le cheval d'Alain qu'on panse, un gros palefrenier en chemise à carreaux. Au bruit de ma fenêtre, un bull noir assis sur le pavé lève son museau carré... Comment, c'est toi, mon pauvre Toby ! Toi l'exilé, toi le honni ! Il est debout, petit et sombre, et agite vers moi le souvenir de sa queue coupée.

— Toby ! Toby !

Il saute, il gémit en sifflant. Je me penche.

— Charles, envoyez-moi Toby par l'escalier de service, s'il vous plaît.

Toby a compris avant lui et s'élance. Une minute encore et le pauvre bull noir est à mes pieds, convulsif, délirant d'humilité et de tendresse, la langue et les yeux hors de la tête...

Je l'avais acheté l'an dernier, à un homme d'écurie

de Jacques Delavalise, parce que c'était vraiment un beau petit bull de huit mois, pas équarri, sans nez, des yeux limpides et un peu bridés, des oreilles comme des cornets acoustiques. Et je l'avais ramené à la maison, assez fière, un peu craintive. Alain l'examina en connaisseur, sans malveillance.

— Cent francs, dites-vous ? Ce n'est pas cher. Le cocher sera content, les rats détruisent tout dans l'écurie.

— Dans l'écurie ! Mais je ne l'avais pas acheté pour cela. Il est joli, je voudrais le garder pour moi, Alain...

Haussant les épaules :

— Pour vous ? Un bull d'écurie dans un salon Louis XV, n'est-ce pas ? ou sur les dentelles de votre lit ? Si vous tenez à un chien, ma chère enfant, je vous chercherai un petit havanais en soie floche, pour le salon, ou encore un grand sloughi... les sloughis vont avec tous les styles.

Il a sonné et désigné à Jules mon pauvre Toby noir, qui mâchait ingénument un gland du fauteuil.

— Portez ce chien à Charles, qu'il lui achète un collier, qu'il le tienne propre, et qu'il me dise s'il tue bien le rat. Le chien s'appelle Toby.

Depuis, je n'ai revu Toby que par la fenêtre. Je l'ai vu souffrir et penser à moi, car nous nous étions aimés à première vue.

Un jour, j'ai gardé de petits os de pigeon et les lui ai

portés dans la cour, en me cachant. Je suis rentrée le cœur gros, avec un malaise que j'ai cru dissiper en avouant à Alain ma faiblesse. Il ne me gronda presque pas.

— Etes-vous enfant, Annie ! Si vous voulez, je dirai à Charles qu'il prenne quelquefois le bull avec lui, sous le siège, quand vous sortirez. Mais que je ne rencontre jamais Toby dans l'appartement, jamais, n'est-ce pas ? vous m'obligerez beaucoup.

Aujourd'hui, il ne me suffirait pas, pour m'alléger de tout souci, disons franchement : de tout remords, d'avouer à Alain la présence de Toby dans ma chambre à coucher. Ceci, qui m'eût fait trembler, la semaine passée, est une vétille auprès de mon ivresse d'éther, coupable et délicieuse.

Dors sur le tapis à roses grises, Toby noir, dors avec de grands soupirs de bête émue : tu ne retourneras pas à l'écurie.

★
★ ★

. . . .

Triste chambre que celle-ci ! L'électricité crue tombe du plafond sur mon lit vide et mort... Je me sens seule, seule, au point de pleurer, au point d'avoir retenu Léonie pour me décoiffer, afin de garder auprès de moi une présence familière... Viens, mon Toby noir, petit chien chaud et silencieux qui adore jusqu'à mon ombre, reste à mes pieds, tout fiévreux du long voyage, agité de cauchemars ingénus... Peut-être rêves-tu qu'on nous sépare encore ?...

Ne crains pas, Toby, le maître sévère, il dort à présent sur l'eau sans couleur ; car les heures de son coucher sont ordonnées comme toutes celles de sa vie... Il a remonté son chronomètre, il a couché son grand corps blanc, froid du tub glacial. Songe-t-il à Annie ? Est-ce qu'il soupirera la nuit, est-ce qu'il s'éveillera dans le noir, le noir profond, que ses pupilles dilatées peupleront de lunules d'or et de roses processionnantes ? S'il appelait, à cette minute même, son Annie docile, s'il cherchait son odeur de rose et d'œillet blanc, avec le sourire marytrisé de l'Alain que je n'ai vu et possédé qu'en songe ? Mais non. Je le sentirais à travers l'air et la distance...

Couchons-nous, mon petit chien noir. Marthe joue au baccara.

*
* *

Mon pauvre Toby noir, que faire de toi ? Voilà que nous allons partir pour Bayreuth ! Marthe l'a décidé, d'un entrain qui m'épargne toute discussion. Va, je t'emmènerai, c'est encore le plus simple et le plus honnête. Je t'ai promis de te garder, et j'ai besoin de ta présence odorante et muette, de ton ombre courte et carrée près de mon ombre longue. Tu m'aimes assez pour respecter mon sommeil, ma tristesse, mon silence, et je t'aime comme un petit monstre gardien. Une gaîté

jeune me revient, à te voir m'escorter, grave, la gueule
distendue par une grosse pomme verte que tu portes
précieusement tout un jour, ou gratter d'une griffe
obstinée un dessin du tapis, pour le détacher du fond.
Car tu vis, ingénu, entouré de mystères. Mystère des
fleurs coloriées sur l'étoffe des fauteuils, duperie des
glaces d'où te guette un fantôme de bull, poilu de noir,
qui te ressemble comme un frère, piège du rocking-
chair, qui se dérobe sous les pattes... Tu ne t'obstines
pas à pénétrer l'inconnaissable, toi. Tu soupires, ou tu
rages, ou bien tu souris d'un air embarrassé, et tu
reprends ta pomme verte mâchouillée.

. . . .

★
★ ★

. . . .

— Prenez du thé, Claudine.
— Bouac, qu'il est fort ! Beaucoup de sucre, au
moins. Ah ! voilà Toby ! Toby charmant, ange noir,
crapaud carré, front de penseur, saucisson à pattes,
gueule d'assassin sentimental, mon chéri, mon trésor !...

La voilà redevenue tout à fait Claudine, à quatre
pattes sur le tapis, son chapeau tombé, embrassant le
petit chien de toutes ses forces. Toby, qui menace tout
le monde de ses dents inégales et solides, Toby charmé
se laisse rouler par elle comme une pelote...

. . . .

⋆⋆⋆

. . . .

Un soupir répond au mien... Un soupir de Toby-
Chien prostré, un de ces soupirs profonds et ridicules
de petit bull que semble arracher de sa poitrine émue la
détresse universelle... Toby-Chien a du tact et le sens
des situations. Annie, les yeux mouillés, rit d'énervement, et Toby-Chien lève vers nous des yeux blancs de
nègre dévot...

. . . .

⋆⋆⋆

Les bêtes d'ici sont délicieuses. Il y a Toby-Chien,
vieil ami, et Péronelle, autocrate toute neuve. Je
connais Toby-Chien depuis longtemps et son entente de
notre race l'avertit assez que je suis sa vraie maîtresse :
il considère Annie comme une succursale. A cinq ans il
conserve son âme enfantine où tout est pur, même le
mensonge. Son cœur de bull cardiaque est toujours près
d'éclater, mais il n'éclate pas. Il soupire mystérieuse-
ment comme son frère le crapaud, cet autre camard
bringé aux beaux yeux, et s'il court étranglé, écumant,
sur les « trôleux » aux pieds chaussés de poussière, il
juge prudent de passer au large quand une mante-
religieuse prie, dévote armée, au milieu d'une sente !

. . . .

★
★ ★

. . . .

— Qu'est-ce qu'on fait aujourd'hui, Claudine ?

— *Vous*, Marcel, je ne sais pas. *Moi*, je ramasse des pommes de pin et peut-être aussi des champignons. Et vous, Annie ?

— Moi ? rien... je ne sais pas.

— Le programme des fêtes étant arrêté... bonsoir, mes enfants. J'en ai pour jusqu'à la cloche du déjeuner.

Et je m'en vais avec affectation, un panier à chaque bras, et, sur mes talons, Toby-Chien en tenue de promenade. La tenue de promenade de Toby-Chien consiste principalement en une pomme qu'il porte dans sa gueule, une pomme beaucoup trop grosse qui distend ses mâchoires et le fait ressembler à un dauphin. On voit que ça l'embête à mourir, mais c'est sans doute le résultat d'un vœu...

. . . .

★
★ ★

. . . .

Toby-Chien, noir et ciré, suit mes talons en éternuant et on jurerait qu'il s'applique à imprimer, entre les traces longues de mes semelles, le dessin naïf de quatre

petites fleurs creuses... Tu t'accroches à moi comme une
ombre trapue, petit chien divinateur, toi qui sais que
je ne te quitterai pas, comme Annie, pour courir vers
un petit chasseur galonné, tout vert et or, aux joues en
pomme...

L'air suffoque, un air lourd de neige suspendue, sans
un souffle de vent. J'appelle Toby-Chien, et ma voix
sonne court, comme dans une chambre étouffée de tentures. Tout est si changé que je marche avec la certitude
délicieuse de m'égarer. L'odeur de la neige, ce parfum
délicat d'eau, d'éther et de poussière, engourdit toutes
les autres odeurs. Le petit bull, inquiet de ne plus sentir
sa route, m'interroge fréquememnt. Je le rassure et
nous descendons la route à peine souillée d'une double
marque de roues, et d'œufs de crottin vert que cerne un
vol de mésanges...

— Plus loin, Toby, dans le bois !

— Si loin, répondent les yeux de Toby. Tu ne crains
donc pas ce royaume étrange de la forêt sous la neige,
où glisse un jour d'église triste ?... Et quel silence !
Dieux ! on a remué...

— Mais non, Toby, c'est une feuille jaune qui est
tombée, lentement, toute droite, comme une larme...

— Une feuille... c'était une feuille au moment où tu
l'as regardée, mais... avant que tu la regardes, qui peut
dire ce que c'était ? Elle a frôlé comme un pas et puis
comme une respiration... Viens ! j'ai peur. Je ne vois
plus le ciel sur nos têtes, car les sapins se joignent par

leurs cimes... Tout à l'heure, je contemplais un univers enseveli, mais sous ce manteau ondulé se modelaient des formes familières : la montagne ronde qui gonfle son dos en face de notre maison et quatre peupliers nus qui me servent de point de repère. Viens ! On a crié tout près...

— Mais, Toby-Chien, c'est ce gros geai roux qui s'en va là-bas, avec sa frange d'azur à chaque aile...

— Un geai ?... oui. A présent, c'est un geai, mais tout à l'heure, quand il a crié, qu'était-ce ? Tu ne connais qu'un aspect des choses et des êtres, celui que tu vois. Moi j'en connais deux : celui que je vois et celui que je ne vois pas, le plus terrible...

Ainsi nous dialoguons, car Toby-Chien, plein de crainte et de foi, puise dans mes yeux, inépuisablement, ce qu'il lui faut de courage pour avancer de quinze mètres, s'arrêter, me regarder et repartir encore...

. . . .

⋆⋆⋆

. . . .

Seul, un petit être noir, camus et silencieux, a levé vers moi son museau difforme de monstre sympathique. Toby-Chien, éveillé de son somme léger, me contemple comme Mathô contemplait Salammbô. Il ne comprend pas tout à fait. Il pressent, il devine à demi, il s'angoisse, il s'efforce vers moi... Alors je me penche pour le rejoindre et, d'une caresse sur sa tête bosselée, je lui dis que c'est bien, qu'il a assez compris, qu'il n'y a rien de plus à comprendre...

. . . .

⋆⋆

. . . .

Un petit bull noir, plus très jeune, un peu épaissi, roule comme un taureau jusqu'à nous, lève vers nos visages unis un mufle de monstre japonais, inquiet parce qu'on pleure et parce qu'on s'embrasse.

— Toby, Toby... mais c'est Toby !

— Mais oui, Annie, c'est Toby. Pourquoi ne serait-ce Toby ?

— Je ne sais pas... Il me semblait que toutes ces petites bêtes ne duraient pas si longtemps, Claudine...

— Si longtemps !... Il n'y a que deux ans et demi que vous me les avez données...

. . . .

⋆⋆

. . . .

Viens, Toby, contre mes genoux ! Viens jouer à ce jeu cruel que j'imaginai pour nous deux seuls l'an der-

nier, quand partit celui que je nommais « ton Père ».
Je te disais tout haut : « Où est ton Père ? » et ta tendresse désolée, qui connaît l'irrémédiable, éclatait en
cris aigus, en grosses larmes qui moiraient tes beaux
yeux de crapaud... Réponds : « Où est ton Père ? » Tu
hésites, ton nez se gonfle, et tu siffles un doux
gémissement peu convaincu... Bientôt tu ne sauras plus
pleurer du tout... Tu oublieras...

. . . .

**

*Le perron au soleil. La sieste après déjeuner. Toby-
Chien et Kiki-la-Doucette gisent sur la pierre brûlante.
Un silence de dimanche. Pourtant, Toby-Chien ne dort
pas, tourmenté par les mouches et par un déjeuner
pesant. Il rampe sur le ventre, le train de derrière aplati
en grenouille, jusqu'à Kiki-la-Doucette, fourrure tigrée
immobile.*

TOBY-CHIEN. — Tu dors ?

KIKI-LA-DOUCETTE, *ronron faible...*

TOBY-CHIEN. — Vis-tu seulement ? Tu es si plat ! Tu
as l'air d'une peau de chat vide.

KIKI-LA-DOUCETTE, *voix mourante.* — Laisse...

TOBY-CHIEN. — Tu n'es pas malade ?

KIKI-LA-DOUCETTE. — Non... Laisse-moi. Je dors, Je
ne sais plus si j'ai un corps. Quel tourment de vivre près
de toi ! J'ai mangé, il est deux heures... dormons.

TOBY-CHIEN. — Je ne peux pas. Quelque chose fait boule dans mon estomac. Cela va descendre, mais lentement. Et puis ces mouches, ces mouches !... La vue d'une seule tire mes yeux hors de ma tête. Comment font-elles ? Je ne suis que mâchoires hérissées de dents terribles (entends-les claquer !) et ces bêtes damnées m'échappent. Hélas ! mes oreilles ! hélas ! mon tendre ventre bistré ! ma truffe enfiévrée !... Là ! juste sur mon nez, tu vois ? Comment faire ? Je louche tant que je peux... Il y a deux mouches maintenant ? Non, une seule... Non, deux... Je les jette en l'air comme un morceau de sucre. C'est le vide que je happe... Je n'en puis plus. Je déteste le soleil, et les mouches, et tout !...

Il gémit.

KIKI-LA-DOUCETTE, *assis, les yeux pâles de sommeil et de lumière.* — Tu as réussi à m'éveiller. C'est tout ce que tu voulais, n'est-ce pas ? Mes rêves sont partis. A peine sentais-je, à la surface de ma fourrure profonde, les petits pieds agaçants de ces mouches que tu poursuis. Un effleurement, une caresse parfois ridaient d'un frisson l'herbe inclinée et soyeuse qui me revêt... Mais tu ne sais rien faire discrètement ; ta joie populacière encombre, ta douleur cabotine gémit. Méridional, va !

TOBY-CHIEN, *amer.* — Si c'est pour me dire ça que tu t'es réveillé !...

KIKI-LA-DOUCETTE, *rectifiant.* — Que tu m'as réveillé.

Toby-chien. — J'étais mal à l'aise, je quêtais une aide, une parole encourageante...

Kiki-la-doucette. — Je ne connais point de verbes digestifs. Quand je pense que, de nous deux, c'est moi qui passe pour un sale caractère ! Mais rentre un peu en toi-même, compare ! La chaleur t'excède, la faim t'affole, le froid te fige...

Toby-chien, *vexé*. — Je suis un sensitif.

Kiki-la-doucette. — Dis : un énergumène.

. . . .

Kiki-la-doucette. — Tu ne manques de rien, j'imagine ?

Toby-chien. — De rien ? Je ne sais. Aux moments où je suis le plus heureux, une envie de pleurer me serre les côtes, mes yeux se troublent... Mon cœur m'étouffe. Je voudrais, à ces minutes d'angoisse, être sûr que tout ce qui vit m'aime, qu'il n'y a nulle part dans le monde un chien triste derrière une porte, et qu'il ne viendra jamais rien de mauvais...

Kiki-la-doucette, *goguenard*. — Et alors, il arrive quoi, de mauvais ?

Toby-chien. — Ah ! tu ne l'ignores pas ! C'est fatalement à cette heure qu'Elle survient, portant une fiole jaune où nage l'horreur... tu sais... l'huile de ricin ! Perverse, insensible, elle me maintient entre ses genoux vigoureux, desserre mes dents...

Kiki-la-doucette. — Serre-les mieux.

Toby-chien. — Mais j'ai peur de lui faire mal... Et

ma langue épouvantée connaît enfin la fadeur vis-
queuse... Je suffoque, je crache. Ma pauvre figure
convulsée agonise, — et la fin de ce supplice est longue
à venir... Tu m'a vu, après, me traîner mélancolique,
la tête basse, écoutant dans mon estomac le glouglou
malsain de l'huile, et cacher dans le jardin ma honte...

KIKI-LA-DOUCETTE. — Tu la caches si mal !

TOBY-CHIEN. — C'est que je n'en ai pas toujours le
temps.

. . . .

TOBY-CHIEN. — Je l'aime, tu comprends. Je l'aime
assez pour lui pardonner même le supplice du bain.

KIKI-LA-DOUCETTE, *intéressé*. — Oui ? dis-moi ce que
tu ressens. La vue seule de ce qu'Elle te fait dans l'eau
me remplit de frissons.

TOBY-CHIEN. — Hélas !... Ecoute, et plains-moi.
Quelquefois, lorsqu'Elle est sortie de son bassin de zinc,
vêtue de sa peau toute seule, — une peau sans poils et
et douce que je lèche avec respect, — Elle ne remet pas
tout de suite ses peaux de linge et d'étoffe. Elle reverse
de l'eau chaude, y jette une brique brune qui sent le
goudron et dit : « Toby ! » Cela suffit ; mon âme me
quitte déjà. Mes jambes flageolent Quelque chose, sur
l'eau, brille, qui danse et m'aveugle, une image en
forme de fenêtre tortillée. Elle me saisit, pauvre
corps évanoui que je suis, et me plonge... Dieux !...
Dès lors je ne sais plus rien... Je n'espère qu'en Elle,
mes yeux s'attachent aux siens, durant qu'une tié-

Planche VII

Planche VIII

deur étroite colle à moi, épiderme sur mon épiderme...

Brique mousseuse, odeur de goudron, eau piquante dans mes yeux, dans mes narines, naufrage de mes oreilles... Elle s'excite, Elle m'étrille d'un cœur allègre, ahane, rit... Enfin, c'est le sauvetage, le repêchage par la nuque, pattes battant l'air et cherchant la vie ; la serviette rude, le peignoir où je goûte une convalescence épuisée...

KIKI-LA-DOUCETTE, *troublé au fond.* — Remets-toi.

TOBY-CHIEN. — Dame, rien que de raconter...

. . . .

TOBY-CHIEN. — Oh ! pour bouder, tu t'en acquittes. Moi, je ne peux jamais. J'oublie les injures.

KIKI-LA-DOUCETTE, *pince-sans rire.* — Et tu lèches la main qui te frappe. Connu !

TOBY-CHIEN, *gobeur.* — Je lèche la main qui... Oui, c'est tout à fait comme tu dis. C'est une jolie expression.

KIKI-LA-DOUCETTE. — Elle n'est pas de moi. La dignité ne t'étouffe pas. Ma parole, souvent j'ai honte pour toi. Tu aimes tout le monde, tu accueilles d'un derrière plat toutes les rebuffades. Ton cœur est avenant et banal comme un jardin public.

TOBY-CHIEN. — N'en crois rien, mal élevé. Tu te trompes, toi, l'infaillible, aux manifestations de ma politesse. Voyons, franchement, veux-tu que je gronde aux mollets de ses amis à Lui, de ses amis à Elle ? Des gens bien vêtus que je ne connais pas, qui savent mon nom et me tirent bonnement les oreilles ?

6

KIKI-LA-DOUCETTE. — Je hais les nouveaux visages.

TOBY-CHIEN. — Je ne les aime pas non plus, quoique tu en dises. J'aime... Elle et Lui.

. . . .

TOBY-CHIEN, *ému d'indignation*. — Je te trouve difficile. Assurément, je l'aime, Lui, qui détourne les yeux de mes fautes pour n'avoir pas à me gronder. Mais Elle ! C'est ce que je vois au monde de plus beau, de plus cher, de plus incompréhensible. Son pas m'enchante, ses yeux variables me dispensent le bonheur et la tristesse. Elle est pareille au Destin et n'hésite jamais ! Les tourments mêmes, de sa main... Tu sais comme Elle me taquine ?

KIKI-LA-DOUCETTE. — Durement.

TOBY-CHIEN. — Non pas durement, mais finement. Je ne puis prévoir. Ce matin, elle s'est penchée comme pour me parler, a soulevé mon oreille de petit éléphant, et a jeté dedans un cri pointu qui est descendu au fond de ma cervelle.

KIKI-LA-DOUCETTE. — Horreur !

TOBY-CHIEN. — Etait-ce bon ? Etait-ce mauvais ? Maintenant encore j'hésite. Cela a déchaîné en moi une folie circulaire de nervosité... Presque chaque jour, sa fantaisie exige que je fasse « le poisson » : soulevé dans ses bras, Elle étreint mes côtés jusqu'à la suffocation, jusqu'à ce que ma bouche s'ouvre comme celle des carpes qu'on noie dans l'air...

KIKI-LA-DOUCETTE. — Je la reconnais bien là.

Toby-chien. — Soudain je me sens libre et vivant, vivant par le miracle de sa seule volonté ! Que la vie alors me paraît belle ! Comme je mâchouille sa main pendante, l'ourlet de sa robe !

Kiki-la-doucette, *méprisant*. — Le joli jeu !

Toby-chien. — Tout le bien et tout le mal me viennent d'Elle... Elle est le tourment aigu et le sûr refuge. Lorsque, épouvanté, je me jette sur Elle, le cœur fou, que ses bras sont doux, et frais ses cheveux sur mon front ! Je suis son « enfant-noir », son « Toby-Chien », son « tout-petit h'amour »... Pour me rassurer, Elle s'assoit par terre, se fait petite comme moi, se couche tout à fait, pour m'enivrer de sa figure au-dessous de la mienne, renversée dans sa chevelure qui sent bon le foin et la bête ! Comment résister alors ? Ma passion déborde, je la fouis d'une truffe énervée, je cherche, trouve, mordille le bout croquant et rose d'une oreille — Son oreille ! — jusqu'à ce qu'Elle crie, chatouillée : « Toby ! c'est terrible ! Au secours, ce chien me mange ! »

Kiki-la-doucette. — Saines joies, brutales et simples... Et tu t'en vas, ensuite, faire la cour à la cuisinière.

. . . .

Toby-chien. — Moi, je veux bien, tu sais. Ici, les choses de l'amour me laissent relativement froid. L'exercice physique... mes soucis de gardien... Je ne pense guère à la bagatelle.

Kɪᴋɪ-ʟᴀ-ᴅᴏᴜᴄᴇᴛᴛᴇ, *à part.* — La bagatelle ! Commis-
voyageur, va !

Tᴏʙʏ-ᴄʜɪᴇɴ, *sincère.* — Et puis, je peux bien te
l'avouer... Tu vois comme je suis petit... Eh bien ! par
une guigne invraisemblable et pourtant vraie, je ne
rencontre aux alentours que de jeunes géantes. La
chienne de la ferme, une grande diablesse bâtarde aux
yeux jaunes, m'accueillerait comme elle accueille...
n'importe qui. Dévergondée, oh ! ça... mais bonne fille,
odorante, et cette espèce de charme exténué et canaille,
ces regards affamés de louve douce... Hélas !... je suis
si petit... Chez les voisins, je connais encore une
danoise placide, vertigineuse comme une alpe ; une bergère qui n'a jamais le temps à cause de son métier ; une
chienne d'arrêt nerveuse qui mord tout à coup, mais
dont les yeux sauvages promettent l'ardeur... Hélas,
hélas ! J'aime mieux n'y plus penser. C'est trop fati-
gant. Revenir surmené et non satisfait, battre la fièvre
toute la nuit... Assez.

J'aime... Elle et Lui, dévotement, d'une passion émue
qui me grandit jusqu'à Eux ; elle suffit d'ailleurs à
occuper mon temps et mon cœur. L'heure de la sieste
passe, Chat, mon méprisant ami, que j'aime pourtant,
et qui m'aimes. Ne détourne pas la tête ! Ta pudeur sin-
gulière s'emploie à cacher ce que tu nommes faiblesse,
ce que je nomme amour. Crois-tu que je sois aveugle ?
Lorsque je reviens avec Elle vers la maison, j'ai vu
vingt fois, derrière la vitre, ta figure triangulaire s'éclai-

rer et sourire à mon approche. Le temps d'ouvrir la
porte : tu avais déjà remis ton masque de chat, ton joli
masque japonais aux yeux bridés... Peux-tu le nier ?

KIKI-LA-DOUCETTE, *résolu à ne pas entendre.* —
L'heure de la sieste passe. L'ombre conique des poiriers
croît sur le gravier. Tout notre sommeil est parti en
paroles. Tu as oublié les mouches, ton estomac inquiet,
la chaleur qui danse en ondes sur les prés. Le beau jour
lourd s'en va. Déjà l'air s'émeut, et courbe vers nous
l'odeur des pins dont le tronc fond en larmes claires.

TOBY-CHIEN. — La voici. Elle a quitté son fauteuil
de paille, étiré ses bras gracieux, et je lis l'espoir d'une
promenade dans le mouvement de sa robe. Tu la vois,
derrière les rosiers ? Elle casse de l'ongle une feuille de
citronnier, la froisse et la respire... Je lui appartiens.
Les yeux fermés, je devine sa présence...

★
★ ★

Parce qu'il pleut et que le vent d'octobre chasse dans
l'air les feuilles trempées, Elle a allumé dans la chemi-
née le premier feu de la saison. En extase, Kiki-la-
doucette et Toby-Chien, couchés côte à côte au coin du
marbre tiède, s'éblouissent à contempler la flamme et
lui dédient des prières intérieures.

.   .   .   .

TOBY-CHIEN, *à moitié cuit, les yeux injectés, la langue*
pendante. — Feu ! feu divin ! te revoici ! Je suis bien

jeune encore, mais je me souviens de ma terreur respectueuse, la première fois que sa main, à Elle, t'éveilla
dans cette même cheminée. La vue d'un dieu aussi mys-
térieux que toi a de quoi frapper un chien-enfant, à
peine sorti de l'écurie maternelle. O Feu ! Je n'ai pas
perdu toute appréhension. Hiii ! tu as craché sur ma
peau une chose piquante et rouge... J'ai peur... Non,
c'est fini.

Que tu es beau ! Ton centre plus rose darde des lam-
beaux d'or, des jets vifs d'air bleu, une fumée qui
monte tordue et dessine d'étranges apparences de
bêtes... Oh ! que j'ai chaud ! Sois plus doux, Feu Sou-
verain, vois comme ma truffe séchée se fendille et
craque... Mes oreilles ne flambent-elles point ? Je
t'adjure d'une patte suppliante, je gémis d'une volupté
insupportable... je n'en puis plus !... (*Il se retourne.*)
Ah ! rien n'est jamais bon tout à fait. Sous la porte, la
bise pince mes cuisses nues. Tant pis ! que mon derrière gèle, pourvu que je t'adore en face !

. . . .

TOBY-CHIEN. — Je ne l'ignore pas, Feu — puisque je
suis Chien — les vicissitudes et les joies que tu présages.
Déjà il pleut dans le jardin. Je crois qu'il pleut aussi
sur la route et dans le bois. L'eau qui tombe n'a plus
la tiédeur des orages de l'été, alors que ma truffe,
grise de poussière, se délectait à l'odeur humide qui
venait de l'ouest. Le ciel est inquiet, et le vent grandit
assez pour soulever droit les pavillons de mes oreilles.

Un chant pointu, pareil au mien quand j'implore,
passe sous la porte. Tu luiras tous les jours, Feu : mais
de quelles souffrances faudra-t-il que j'achète le droit
de t'adorer ? Car Elle continuera d'errer, la tête cou-
verte d'un capuchon cornu qui la change et m'effraie.
Elle chaussera des pieds de bois et écrasera insoucieu-
sement les petites flaques, les mottes bourbeuses, la
mousse en pleurs. Je la suivrai, puisque j'ai promis de
la suivre toute ma vie (et qu'aussi bien je ne pourrais
faire autrement), je la suivrai, désolé, piteux, verni
d'eau, le ventre en croûtes de sable, jusqu'à ce que
l'excès même de ma misère me fasse oublier tout, et que
je batte les taillis, occupé de chaque pli d'herbe, âpre
à éveiller les odeurs noyées... Elle deviendra communi-
cative à me voir m'activer et nous parlerons : « Ha !
Toby-Chien, dira-t-Elle, ha ! ha ! l'oiseau, là ! Sur la
branche, cruchon ! Il est parti à présent. » Elle s'api-
toiera, pour m'amener à une émotion proche des
larmes : « O mon tout petit noir, mon cylindre sympathique, mon amour batracien, comme tu as froid,
comme tu es mouillé, comme tu es triste, comme tu
souffres, ôôô ! » Avant que je puisse discerner si sa pitié
est sincère, mes yeux se fondront en eau et ma gorge
serrée n'émettra plus que des gémissements frères des
siens...

Mais quelle ivresse quand ses capricieux pieds de bois
retourneront vers la Maison, pressés de retrouver Lui
qui gratte le papier, trop lents à mon gré ! Je l'environ-

nerai de bonds et de cris, vibrant de voir diminuer le
coteau et raccourcir la pente, de sentir l'admirable
odeur d'écurie et de bois brûlé qui rapproche de nous
le gîte. A travers la vitre embuée, tu luiras enfin, Feu,
et j'aurai franchi le seuil à peine qu'un foudroyant
sommeil me terrassera devant toi, toi qui mueras en
poudre fine les croûtes de mon ventre, en fumante
vapeur l'eau des chemins, toi, Feu, toi, Soleil !

. . . .

TOBY-CHIEN. — La pierre du foyer brûle les plantes
cornées de mes pattes. Que faire ? M'éloigner ? jamais !
Plutôt périr par la cuisson que quitter ce bonheur
redoutable !... Pourvu qu'Elle ne vienne pas tout de
suite ! Je crains justement la lanière du fouet et les
paroles magiques qui promettent l'exil : « Toby, c'est
stupide ! Je te défends de te rôtir. Tu auras mal aux
yeux et tu t'enrhumeras en sortant !... » Car c'est ainsi
qu'Elle parle, tandis que je m'applique à la regarder
d'un obtus air dévot dont Elle n'est point la dupe.
J'écoute les bruits du premier étage, et son pas qui va
et vient... Sa fantaisie vagabonde est-elle enfin lassée ?
Ce matin, Elle m'a sifflé, et ma hâte à lui obéir fut
telle que je roulai au bas des escaliers, car je suis court
et carré, avec peu de pattes, point de nez, et nulle
queue pour faire balancier... Nous partîmes. Le bout
flexible des branches berçait les dernières pommes...
Ma voix heureuse, les cris de gaîté qu'Elle jetait parfois, le chant vain des coqs, le grincement des chars sur

la route : tous les bruits flottaient, portés sur l'ouate
un peu suffocante et bleue du brouillard... Elle m'emmena loin et notre chemin fut fertile en merveilleux
incidents : rencontre de chiens géants et terribles que
ma mine fière exaspéra, mais que je sus contenir d'un
seul regard (une grille fermée les réduisait d'autre part
à l'impuissance), poursuite fervente d'un lapin sous les
taillis, encore qu'Elle criât très fort : « Je te défends !
Je te défends de toucher à cette petite bête !... » Ma
mère m'a doué de pattes rapides, certes, mais courtes :
la bête au derrière blanc me distança. Un buisson
chargé de baies rouges nous retint bien longtemps ! Elle
se repaît volontiers d'objets inconnus. Grande est ma
foi en Elle, et je pourrais attester que j'ai goûté de tout
ce qu'elle m'a offert. Mais ce matin... « Mange, Toby,
c'est des senelles. Mange, voilà des gratte-cul... Oh !
serin ! comment peux-tu ne pas raffoler de ce goût cuit
et allègre ! Je t'assure, ce sont des confitures pas gref-
fées !... » Je mâchai, par déférence, une boule rou-
geâtre où sa main taquine à coup sûr sema des poils
rêches... Ce qui devait arriver arriva... Kha ! une
nausée rejeta de mon gosier l'ordure nommée gratte-
cul...

Feu, entends-moi ! Ce que je vis ensuite, sous un bois
bruissant de feuilles empesées, passe mon intelligence.
T'avait-Elle emporté sous sa mante ? Ou bien les dieux
comme toi accourent-ils à son geste ? J'ai vu, Feu, j'ai
vu ses mains édifier le bûcher, disposer mystérieuse-

ment les pierres plates, puis l'étincelle jaillir, et ton âme joyeuse palpiter, grandir, s'élancer rose et nue, se voiler de fumée, péter belliqueusement, agoniser et disparaître... Le monde est plein de choses incompréhensibles.

Enfin, au retour, près de la grille du parc, je découvris, moi le premier, moi avant Elle, un de ces animaux inexpugnables dont la vue seule met toute ma race aux abois, un hérisson. O fureur ! Sentir que sous cette pelote une bête se cache et rit de moi, que je ne puis rien, rien, rien ! Je l'implorai, Elle qui peut presque tout, de m'éplucher ce hérisson. Très attentive, elle s'occupa d'abord de le retourner avec un petit bâton, comme une châtaigne : « C'est étonnant, dit-Elle, je ne peux pas trouver le dessous ! » Entre deux doigts, par un piquant, Elle l'emporta jusqu'ici — je dansais derrière Elle — et le déposa au fond de son panier à ouvrage... Bientôt, la bête abhorrée se déroula, pointa un museau porcin, ouvrit deux yeux luisants de rat, se hissa debout, cramponnée de deux pattes griffues de taupe : « Qu'il est joli ! s'écria-t-Elle, un vrai petit cochon noir ! » Je gémissais de convoitise au pied de la table, mais Elle ne m'éplucha point la bête, ni alors, ni jamais, et peut-être que la cuisinière l'a mangée... Peut-être que ce chat dissimulé, narquois... Assez de soucis. Mon cœur trop sensible s'exalte, et souvent m'étouffe un peu... Ne pensons pas. La vie est belle, Feu, puisque tu l'éclaires... Je m'endors... Garde bien, ô Feu, ma dépouille que la pensée va quitter... Je m'endors...

★★

. . . .

TOBY-CHIEN. — Je ne suis pas le dernier des romantiques, je suis un petit bull venu au monde un soir entre les quatre pieds d'une jument alezane, qui ne s'est pas couchée pendant toute la nuit, tant elle craignait d'écraser ma mère et ses nouveau-nés. Un petit bull, c'est presque un enfant de cheval, ça couche contre les flancs tièdes, dans la chaude litière mêlée de crottin, ça boit dans les seaux de l'écurie, ça se lève au bruit des sabots et ça s'intéresse au lavage des voitures... Jusqu'au jour où Elle est venue me chercher, me choisir — moi, le plus beau, le plus camard, le plus carré de la portée ! — pour m'attacher à sa personne...

. . . .

★★

TOBY-CHIEN, *bâillant*. — Tu me fais bâiller.

KIKI-LA-DOUCETTE. — Non, mais tu t'ennuies. (*Tentateur.*) Tu penses à la liberté.. Une poule a pu s'échapper du poulailler, quelle chasse...

TOBY-CHIEN. — Tu crois ?

KIKI-LA-DOUCETTE. — Je dis : peut-être. Le terrier du lapin, as-tu fini de l'explorer ?

TOBY-CHIEN, *agité*. — Non... il est si profond ! Je l'ai creusé hier, à m'y ensevelir... La terre collait à mon museau avec des poils de la bête...

KIKI-LA-DOUCETTE, *de plus en plus méphistophé-lique*. — Tu finiras cela demain... ou un autre jour.

TOBY-CHIEN, *triste*. — Pourquoi pas l'an prochain ?

KIKI-LA-DOUCETTE. — Qu'est-ce que tu as ? Ta lèvre noire et vernie pend d'une aune, et tes yeux de crapaud miroitent de larmes... Tu pleures ?

TOBY-CHIEN, *reniflant*. — Non...

KIKI-LA-DOUCETTE. — Console-toi, sensible cœur. Tu retrouveras tes plaisirs et tes amis. En ce moment même la chienne du fermier croque des os dans la cuisine, pour tromper l'attente où tu la laisses, sans doute.

TOBY-CHIEN, *atterré*. — La chienne... oh !

KIKI-LA-DOUCETTE. — D'ailleurs, elle n'est pas seule, le danois du garde lui tient compagnie.

TOBY-CHIEN, *révolté*. — Ça n'est pas vrai.

KIKI-LA-DOUCETTE. — Vas-y voir.

TOBY-CHIEN, *après un bond vers la porte*. — Non, ça ferait du bruit.

KIKI-LA-DOUCETTE. — C'est juste.

Silence morne. Toby-Chien se couche en turban et ferme les yeux parce qu'il a envie de pleurer. Son souffle court sanglote tout bas.

KIKI-LA-DOUCETTE, *comme distrait, en mélopée presque insaisissable*. — La chienne... la petite chienne... les os, la petite chienne... le lapin, le terrier... le danois, la petite chienne... les os du gigot, le poil du lapin...

TOBY-CHIEN, *supporte d'abord héroïquement son supplice, puis ses nerfs le trahissent et il hurle, tête levée, la longue plainte du chien abandonné.* — Hôôôôôôô !...

KIKI-LA-DOUCETTE, *du haut de sa console.* — Tais-toi donc !

TOBY-CHIEN. — Hôôôôôôô ! ! ôôôô... ôô !

KIKI-LA-DOUCETTE, *à part.* — Ça y est.

Et pendant qu'Elle s'éveille, égarée, encore prisonnière de ses rêves, le Chat écoute patiemment s'approcher, dans l'escalier, la liberté pour lui, le châtiment pour l'autre.

★
★ ★

Kiki-la-Doucette et Toby-Chien commencent à souffrir et à deviner l'orage, qui n'est encore qu'une plinthe bleu ardoise, peinte épaissement en bas de l'autre bleu terne du ciel.

TOBY-CHIEN, *couché, et qui change de flanc toutes les minutes.* — Ça ne va pas, ça ne va pas. Qu'est-ce que c'est que cette chaleur-là ? Je dois être malade. Déjà, à déjeuner, la viande me dégoûtait et j'ai soufflé de mépris sur ma pâtée. Quelque chose de funeste attend quelque part. Je n'ai rien commis, que je sache, de répréhensible, et ma conscience... Je souffre pourtant.

. . . .

TOBY-CHIEN. — Mais c'est ce silence même qui m'accable ! Je tremble et j'ignore. Je souhaite le bruit connu du vent dans la cheminée, le battement des portes, le chuchotement du jardin, le sanglot de source qui est la voix continue du peuplier, ce mât feuillu de monnaies rondes...

. . . .

TOBY-CHIEN, *frissonnant*. — Tout devient terrible. (*Il rame péniblement jusqu'au perron.*) Qu'a-t-on changé dehors ? Voilà que les arbres sont devenus bleus et que l'herbe étincelle comme une nappe d'eau. Le funèbre soleil ! Il luit blanc sur les ardoises, et les petites maisons de la côte ressemblent à des tombes neuves. Une odeur rampante sort des daturas fleuris. Ce lourd parfum d'amande amère, que laissent couler leurs cloches blanches, remue mon cœur jusque dans mon estomac. Une fumée lointaine, lasse comme l'odeur des daturas, monte avec peine, se tient droite un instant et retombe, aigrette vaporeuse rompue par le bout... Mais viens donc voir !

Kiki-la-Doucette marche jusqu'au perron d'un pas ataxique.

TOBY-CHIEN. — Oh ! mais, toi aussi, on t'a changé, Chat ! Ta figure tirée est celle d'un affamé, et ton poil, plaqué ici, rebroussé là, te donne une piteuse apparence de belette tombée dans l'huile.

KIKI-LA-DOUCETTE. — Laisse tout cela. Je redevien-

drai digne de moi-même demain, si le jour brille encore
pour nous...

TOBY-CHIEN. — Tu dis des choses qui me désolent ! Je
crois que je vais crier, appeler du secours. Il vaut mieux
peut-être me réfugier en Elle, quêter sur sa figure le
réconfort que tu me refuses. Mais Elle semble dormir
dans son fauteuil de paille et voile ses yeux, dont la
nuance est celle de mon destin. D'une langue respectueuse, promenée à peine sur ses doigts pendants, je
l'éveille... Oh ! que sa première caresse dissipe le
maléfice !

Il lèche la main retombante.

ELLE, *criant.* — Ah !... Dieu, que tu m'as fait peur !
On n'est pas serin comme cette bête ! Tiens !

*Petite tape sèche sur le museau du coupable, dont
l'énervement éclate en hurlements aigus.*

Tais-toi ! tais-toi, ! Disparais de ma présence ! Je ne
sais pas ce que j'ai, mais je te déteste ! Et ce chat qui est
là à me regarder comme une tourte !

KIKI-LA-DOUCETTE, *hérissé.* — Si Elle me touche, je
la dévore !

*Ça va très mal finir... Quand un roulement doux et
proche, dont on ne sait s'il naît de l'horizon ou s'il
sourd de la maison elle-même, les désintéresse tous trois
de la querelle. Comme obéissant à un signe, Toby-Chien
et Kiki-la-Doucette, le train de derrière bas, s'abritent,
qui sous la bibliothèque, qui sous un fauteuil. Elle se
détourne, inquiète, vers le jardin plombé, vers la*

muraille violacée des nuages qui, tout à coup, se lézarde
de feu bleu aveuglant.

ELLE, TOBY-CHIEN, KIKI-LA-DOUCETTE, *ensemble.* —
Ha !

Au sec fracas qui éclate, les vitres tintent. Un souffle,
soudain accouru, enveloppe la maison comme une
étoffe claquante, et tout le jardin se prosterne.

ELLE, *angoissée.* — Mon Dieu ! et les pommes !

TOBY-CHIEN, *invisible.* — On me découperait les deux
oreilles en lanières plutôt que de me faire sortir de là-
dessous.

. . . .

Ils se taisent tous trois. Pluie, éclairs palpitants, abois
du vent, sifflement des pins. Accalmie.

TOBY-CHIEN. — On dirait que j'ai un peu moins peur.
Le bruit de la pluie détend mes nerfs malades. Il me
semble en sentir sur ma nuque, sur mes oreilles, la ruis-
selante tiédeur. Le vacarme s'éloigne. Je m'entends respirer. Un jour plus blanc glisse jusqu'à moi sous cette
bibliothèque. Que fait-Elle ? Je n'ose encore sortir. Si
au moins le Chat bougeait ! (*Il avance une tête prudente*
de tortue ; un éclair le rejette sous la bibliothèque.) Ha !
ça recommence. La pluie en paquets contre les vitres !
Le tablier de la cheminée imite le roulement d'en haut ;
tout s'écroule... et Elle m'a donné une tape sur le nez !

KIKI-LA-DOUCETTE. — . . . .

. . . .

Voici qu'Elle ouvre la porte sur le perron. N'est-ce

point trop tôt ?... Non, car les poules caquettent et prédisent le beau temps en enjambant les flaques avec des cris de vieille fille. Oh ! l'odeur adorable qui vient jusqu'ici, si jeune, si verte de feuillages mouillés et de terre désaltérée, si neuve que je crois respirer pour la première fois !

Il sort en rampant et va jusqu'au perron.

Toby-Chien, *tout à coup.* — Hum ! que ça sent bon ! ça sent la promenade ! Tout change si vite qu'on n'a pas le temps de penser. Elle a ouvert la porte ? Courons. (*Il se précipite.*) Enfin ! enfin ! le jardin a repris sa couleur de jardin ! Une tiède vapeur mouille mon nez grenu, je sens dans tous mes membres le désir du bond et de la course. L'herbe luit et fume, les escargots cornus tâtent, du bout des yeux, le gravier rose, et les limaces, chinées de blanc et de noir, brodent le mur d'un ruban d'argent. Oh ! la belle bête, dorée et verte qui court dans le mouillé ! La rattraperai-je ? Gratterai-je de mes pattes onglées sa carapace métallique jusqu'à ce qu'elle crève en faisant *croc ?* Non. J'aime mieux rester contre Elle, qui, appuyée à la porte, respire longuement et sourit sans parler. Je suis heureux. Quelque chose en moi remercie tout ce qui existe. La lumière est belle, et je suis tout à fait certain qu'il n'y aura plus jamais d'orage.

. . . .

★
★ ★

Un après-midi à Paris, l'hiver. Un atelier tiède où crépite doucement un poêle en forme de tour. Kiki-la-Doucette et Toby-Chien, celui-ci par terre, celui-là sur un coussin sacré, procèdent à la minutieuse toilette qui suit les siestes longues. La paix règne.

TOBY-CHIEN. — Mes ongles poussent plus vite ici qu'à la campagne.

KIKI-LA-DOUCETTE. — Moi, c'est le contraire.

TOBY-CHIEN. — Tiens !

KIKI-LA-DOUCETTE, *amer.* — Ça n'a rien d'étonnant, d'ailleurs. Ici, Elle me les rogne, à cause des tentures... Enfin ! (*Emphatique.*) Il faut subir ce qu'on ne peut empêcher.

TOBY-CHIEN. — Qu'est-ce que tu fais aujourd'hui ?

KIKI-LA-DOUCETTE. — Mais... rien.

TOBY-CHIEN, *ironique.* — Pour changer.

KIKI-LA-DOUCETTE. — Pardon, pour ne pas changer. Quelle est cette rage de changement qui vous possède tous ? Changer, c'est détruire. Il n'y a rien d'éternel que ce qui ne bouge pas.

TOBY-CHIEN. — Voilà bien déjà trois heures que je suis éternel.

KIKI-LA-DOUCETTE. — Tu es sorti avec Elle, pourtant. Vous êtes rentrés tous deux en tumulte, avec des bruits de grelots secoués, de robe froissée, des éternuements de joie... Tu étais nimbé d'air glacé, et j'ai senti le bout de son nez froid comme un fruit, quand Elle m'a embrassé sur mon front plat, où des rayures presque noires écrivent l'M classique qui, assure-t-elle, signifie Minet et Miaou.

Toby-chien. — Oui... On a bien couru sur le talus des fortifications. Et puis nous sommes allés dans un magasin.

Kiki-la-doucette. — C'est gai, un magasin ?

Toby-chien. — Pas souvent. Il y a beaucoup de gens pressés les uns contre les autres. Tout de suite je crains de la perdre et je colle, quoi qu'il arrive, mon museau à ses talons. Des pieds inconnus me poussent, me froissent, écrasent mes pattes. Je crie, d'une voix qu'étouffent les jupes. Quand nous sortons de là, nous avons l'air, Elle et moi, de deux naufragés...

. . . .

Juste, on sonne. Toby-Chien et Kiki-la-Doucette tressaillent et rectifient leurs attitudes : le chat, assis, range autour de ses pattes de devant un panache de queue qui traînait ; le chien, couché en sphinx, lève un museau résolu.

Kiki-la-doucette. — Qu'est-ce que c'est ?

Toby-chien. — Un fournisseur ?

Kiki-la-doucette, *haussant les épaules.* — Ce n'est pas la sonnette de l'escalier de service, voyons. Une visite ?

Toby-chien, *bondissant*. — Veine ! on va prendre du thé et manger des gâteaux ! A su-sucre ! A pti-gâteaux !

Kiki-la-Doucette, *sombre*. — Et voir des dames qui crient, et qui me passent sur le dos des mains gantées, des mains en peau morte... Pouah !

Des voix féminines — sa voix aussi, à Elle. — Un grelottement cristallin ; la porte s'ouvre : entre, seule, une terrière-anglaise minuscule, noir et feu, ravie d'elle-même, qui s'avance en faisant du pas espagnol.

La petite chienne, *du haut de sa tête*. — Je suis la toute petite Chienne si jolie !

Toby-Chien n'a rien dit, médusé d'admiration et d'étonnement. Kiki-la-Doucette, indigné, a bondi sur le piano et assiste, malveillant et invisible.

La petite chienne, *étonnée de n'entendre point l'explosion admirative qui l'accueille partout, répétant :* — Je suis la toute petite Chienne si jolie ! Je ne pèse que neuf cents grammes, mon collier est en or, mes oreilles sont en satin noir, doublées de caoutchouc luisant, mes ongles brillent comme des becs d'oiseaux, et... (*Apercevant Toby-Chien.*) Oh ! quelqu'un ! (*Silence.*) Il est bien.

Mines, courbettes, effleurements de museaux.

Toby-chien. — Comme elle est petite.

La petite chienne. — Monsieur... Ne m'approchez pas.

Toby-chien. — Pourquoi ?

La petite chienne. — Je ne sais pas. Ma maîtresse

sait pourquoi. Elle n'est pas là. Elle est restée dans l'autre chambre.

Toby-chien. — Quel âge avez-vous ?

La petite chienne. — J'ai onze mois. (*Récitant.*) J'ai onze mois, ma mère a été prix de Beauté à l'exposition canine, je ne pèse que neuf cents grammes, et...

Toby-chien. — Vous l'avez déjà dit. Comment faites-vous pour être si petite ?

Kiki-la-doucette, *invisible sous le piano*. — Elle est laide. Elle sent mauvais. Elle a des pattes difformes et remue tout le temps. Et ce chien qui fait des frais !

La petite chienne, *très bavarde et coquette*. — C'est de naissance. Je tiens dans un manchon. Vous avez vu mon nouveau collier ? Il est en or.

Toby-chien. — Et ça qui pend après ?

La petite chienne. — C'est la médaille de ma mère, Monsieur, je ne la quitte jamais. J'arrive du Palais de Glace, j'y ai eu un succès fou. Figurez-vous que j'ai voulu mordre un monsieur qui parlait à ma maîtresse. Ce qu'on a ri !

Elle se tortille et pousse des cris d'oiseau.

Toby-chien, *à part*. — Quelle drôle de créature ! Est-ce une Chienne, vraiment ? (*Il la flaire.*) Oui. Elle sent la poudre de riz, mais c'est une Chienne tout de même. (*Haut.*) Asseyez-vous un instant, vous me faites mal cœur en remuant comme ça...

La petite chienne. — Je veux bien. (*Elle se couche en lévrier miniature, les pattes de devant croisées pour montrer la finesse de ses doigts.*) Vous étiez tout seul ici ?

Toby-chien, *regard vers le piano.* — Tout seul de Chien, oui. Pourquoi ?

La petite chienne. — Ça sent drôle.

Toby-chien. — Ça sent le Chat, sans doute.

La petite chienne. — Un Chat ? Qu'est-ce qu'un Chat ? Je n'en ai jamais vu. On vous laisse tout seul dans une chambre ?

Toby-chien. — Ça arrive.

La petite chienne. — Et vous ne criez pas ? Moi, dès que je suis seule, je crie, je m'ennuie, j'ai peur, je me trouve mal et je mange les coussins.

Toby-chien. — Et on vous fouette.

La petite chienne, *outrée.* — On me... Qu'est-ce que vous dites ? Vous perdez la tête, j'imagine. (*Soudain aimable.*) Ce serait dommage. Vous avez de beaux yeux.

Toby-chien. — N'est-ce pas ? on les voit beaucoup. Ils sont grands, et puis ils avancent. Elle dit que j'ai des yeux de langouste. Elle dit encore : « Ses beaux yeux de phoque, ses yeux dorés de crapaud... »

La petite chienne. — Qui, Elle ?

Toby-chien, *simple.* — Elle.

La petite chienne. — Je ne comprends pas ce que vous dites, mais vous êtes si sympathique ! Qu'est-ce que vous faites, ce soir ?

Toby-chien. — Mais... je dîne.

La petite chienne. — Mon Dieu, je pense bien. Je voulais savoir si on reçoit chez vous, si vous sortez.

Toby-chien. — Non, je suis déjà sorti.

La petite chienne. — En voiture ?

Toby-chien. — A pied, naturellement.

La petite chienne. — Comment, naturellement ? Moi, je ne sors guère qu'en voiture. Montrez le dessous de vos pattes ? Quelle horreur ! On dirait la pierre à repasser les couteaux. Regardez les miennes. Satin dessus, velours dessous.

Toby-chien. — Je voudrais vous voir à la campagne sur les cailloux.

La petite chienne. — Mais j'y étais, Monsieur, à la campagne, l'été dernier, et il n'y avait pas de cailloux.

Toby-chien. — Alors, ce n'était pas la campagne. Vous ne savez pas ce que c'est.

La petite chienne, *vexée*. — Si, Monsieur. C'est du sable fin, du gazon en brosse fine qu'on balaie tous les matins, une chaise longue sur l'herbe, de grands coussins frais en cretonne, du lait qui mousse, le sommeil à l'ombre, et de petites pommes roses charmantes pour jouer avec.

Toby-chien, *hochant la tête*. — Non. C'est la route en farine blanche qui cuit les paupières et brûle les pattes, l'herbe grésillante et dure qui sent bon, où je me gratte le museau et les gencives, la nuit inquiétante, — car je suis seul à les garder, Elle et Lui. Couché dans ma corbeille, les battements de mon cœur surmené m'ôtent le sommeil. Un Chien, là-bas, me crie que le Mauvais Homme a passé sur le chemin. Vient-il de mon côté ? Devrais-je, tout à l'heure, l'œil sanglant et la langue crayeuse, bondir contre lui et dévorer sa figure d'ombre ?...

La petite chienne, *frémissante et extasiée*. — Encore, encore ! Oh ! que j'ai peur !...

Toby-chien, *modeste*. — Rassurez-vous, ça n'est jamais arrivé. Tout ça, oui, c'est la campagne, et aussi la côte interminable à l'ombre de la voiture, quand la soif, la faim, la chaleur et la fatigue rendent l'âme résignée et sans espoir...

La petite chienne, *fanatisée*. — Et alors ?

Toby-chien. — Alors, rien. On arrive tout de même à la maison, au seau plein d'eau sombre où l'on boit sans respirer (sa langue, dit-Elle, sa grande langue, fendue au milieu comme un pétale d'iris), pendant que les gouttelettes fines éclaboussent délicieusement les paupières douloureuses, les sourcils poudreux... Tout ça et bien d'autres choses, c'est la campagne...

. . . .

POUCETTE ET LA BERGÈRE FLAMANDE

Toutes trois nous rentrons poudrées, moi, la petite bull et la bergère flamande...

Il a neigé dans les plis de nos robes, j'ai des épaulettes blanches, un sucre impalpable fond au creux du mufle camard de Poucette, et la bergère flamande scintille toute, de son museau pointu à sa queue en massue.

Nous étions sorties pour contempler la neige, la vraie neige et le vrai froid, raretés parisiennes, occasions, presque introuvables, de fin d'année... Dans mon quartier désert, nous avons couru comme trois folles, et les fortifications hospitalières, les fortifs décriés ont vu, de l'avenue des Ternes au boulevard Malesherbes, notre joie haletante de chiens lâchés. Du haut du talus, nous nous sommes penchées sur le fossé que comblait un crépuscule violâtre fouetté de tourbillons blancs ; nous avons contemplé Levallois noir piqué de feux roses, derrière un voile chenillé de mille et mille mouches

blanches, vivantes, froides comme des fleurs effeuillées,
fondantes sur les lèvres, sur les yeux, retenues un
moment aux cils, au duvet des joues... Nous avons gratté
de nos dix pattes une neige intacte friable, qui fuyait
sous notre poids avec un crissement caressant de taffetas. Loin de tous les yeux, nous avons galopé, aboyé,
happé la neige au vol, goûté sa suavité de sorbet vanillé
et poussiéreux...

Assises maintenant devant la grille ardente, nous nous
taisons toutes trois. Le souvenir de la nuit, de la neige,
du vent déchaîné derrière la porte, fond dans nos veines
lentement et nous allons glisser à ce soudain sommeil
qui récompense les marches longues...

La bergère flamande, qui fume comme un bain de
pieds, a retrouvé sa dignité de louve apprivoisée, son
sérieux faux et courtois. D'une oreille elle écoute le
chuchotement de la neige au long des volets clos, de
l'autre elle guette le tintement des cuillers dans l'office.
Son nez effilé palpite, et ses yeux couleur de cuivre,
ouverts droit sur le feu, bougent incessamment, de
droite à gauche, de gauche à droite, comme si elle
lisait... J'étudie, un peu défiante, cette nouvelle venue,
cette chienne féminine et compliquée qui garde bien,
rit rarement, se conduit en personne de sens et reçoit
les ordres, les réprimandes sans mot dire, avec un
regard impénétrable... Elle sait mentir, voler ; mais elle
crie, surprise, comme une jeune fille effarouchée et se
trouve presque mal d'émotion. Où prit-elle, cette petite

POUCETTE ET LA BERGÈRE FLAMANDE

Toutes trois nous rentrons poudrées, moi, la petite
bull et la bergère flamande...

Il a neigé dans les plis de nos robes, j'ai des épaulettes blanches, un sucre impalpable fond au creux du
mufle camard de Poucette, et la bergère flamande scintille toute, de son museau pointu à sa queue en massue.

Nous étions sorties pour contempler la neige, la vraie
neige et le vrai froid, raretés parisiennes, occasions,
presque introuvables, de fin d'année... Dans mon quartier désert, nous avons couru comme trois folles, et les
fortifications hospitalières, les fortifs décriés ont vu,
de l'avenue des Ternes au boulevard Malesherbes, notre
joie haletante de chiens lâchés. Du haut du talus, nous
nous sommes penchées sur le fossé que comblait un
crépuscule violâtre fouetté de tourbillons blancs ; nous
avons contemplé Levallois noir piqué de feux roses, derrière un voile chenillé de mille et mille mouches

blanches, vivantes, froides comme des fleurs effeuillées, fondantes sur les lèvres, sur les yeux, retenues un moment aux cils, au duvet des joues... Nous avons gratté de nos dix pattes une neige intacte friable, qui fuyait sous notre poids avec un crissement caressant de taffetas. Loin de tous les yeux, nous avons galopé, aboyé, happé la neige au vol, goûté sa suavité de sorbet vanillé et poussiéreux...

Assises maintenant devant la grille ardente, nous nous taisons toutes trois. Le souvenir de la nuit, de la neige, du vent déchaîné derrière la porte, fond dans nos veines lentement et nous allons glisser à ce soudain sommeil qui récompense les marches longues...

La bergère flamande, qui fume comme un bain de pieds, a retrouvé sa dignité de louve apprivoisée, son sérieux faux et courtois. D'une oreille elle écoute le chuchotement de la neige au long des volets clos, de l'autre elle guette le tintement des cuillers dans l'office. Son nez effilé palpite, et ses yeux couleur de cuivre, ouverts droit sur le feu, bougent incessamment, de droite à gauche, de gauche à droite, comme si elle lisait... J'étudie, un peu défiante, cette nouvelle venue, cette chienne féminine et compliquée qui garde bien, rit rarement, se conduit en personne de sens et reçoit les ordres, les réprimandes sans mot dire, avec un regard impénétrable... Elle sait mentir, voler ; mais elle crie, surprise, comme une jeune fille effarouchée et se trouve presque mal d'émotion. Où prit-elle, cette petite

louve au rein bas, cette fille des champs wallons, sa
haine des gens mal mis et sa réserve aristocratique ? Je
lui offre sa place à mon feu et dans ma vie, et peut-être
m'aimera-t-elle, elle qui sait déjà me défendre...

Ma petite bull au cœur enfantin dort, foudroyée de
sommeil, la fièvre au museau et aux pattes. La chatte
grise n'ignore pas qu'il neige, et depuis le déjeuner je
n'ai pas vu le bout de son nez, enfoui dans le poil de
son ventre. Encore une fois me voici, comme au début
de l'autre année, assise en face de mon feu, de ma soli-
tude, en face de moi-même...

.   .   .   .

Planche IX

Photo Ylla - Rapho

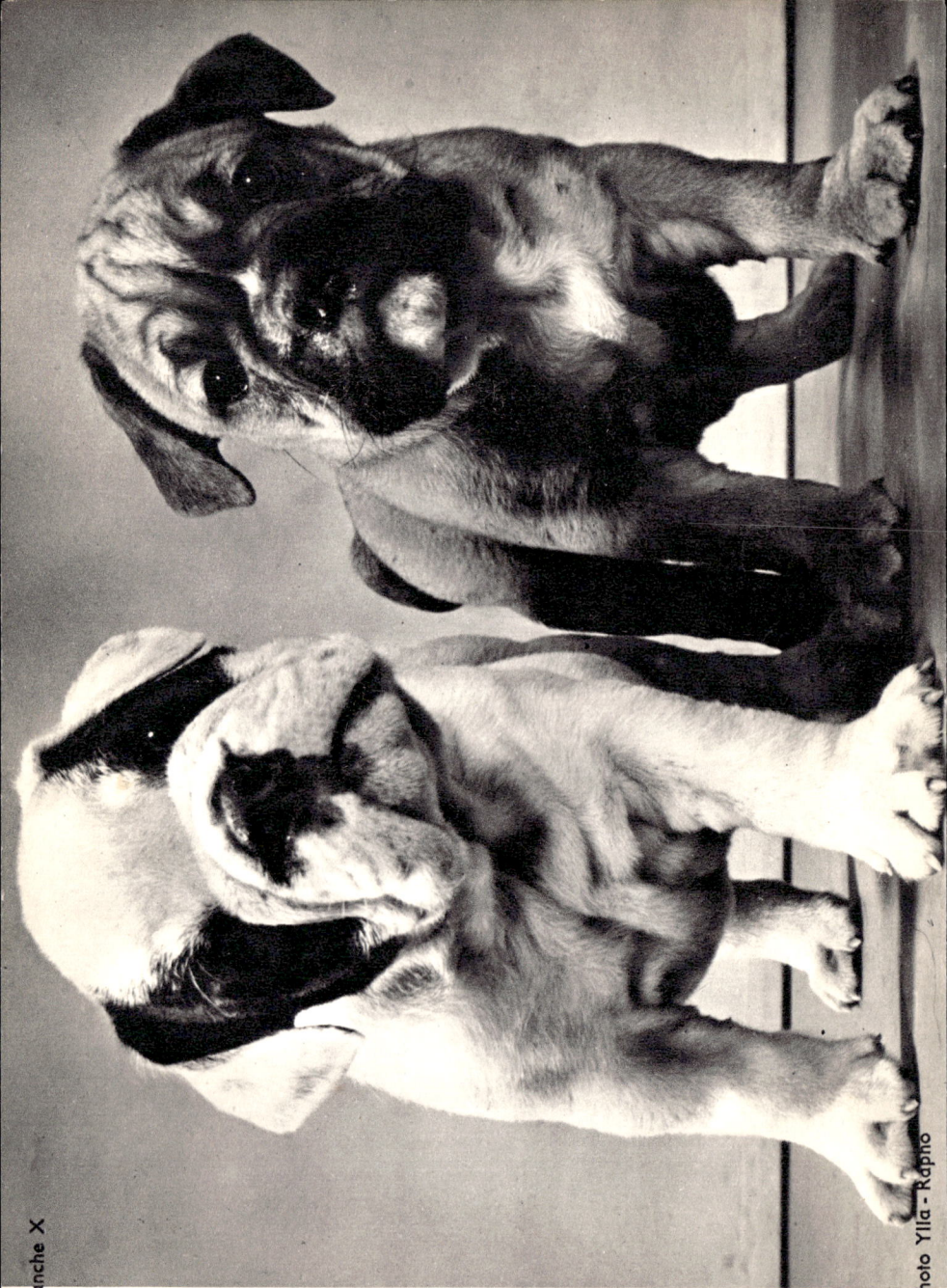

Photo Ylla - Rapho

« Je mens le jour et la nuit, quand je respire et quand je mange, quand je ris et quand je me fâche. Je mens depuis que mes yeux sont ouverts, depuis que mes courtes pattes peuvent courir sous mon ventre en tonnelet.

« Toutes les bêtes vous mentent, ô Deux-Pattes pesants ! Croyez-vous que la lévrière blanche, quand elle passe comme un jet de flamme au-dessus de la canne levée, donne toute la force de ses cuisses puissantes ? Vous jetez la balle au chat, qui calcule mal son élan, exprès, et la laisse rouler sous le fauteuil. Et moi, je gémis contre la porte fermée, comme si je ne pouvais, d'un saut, atteindre et baisser le loquet...

« Toutes les bêtes vous mentent, par prudence, par sagesse, par crainte quelquefois. Mais moi, j'y mets plus de plaisir, plus d'intelligence et de perfection que mes pareils. On ne reconnaît plus, depuis que j'y habite, votre tranquille maison. Une inquiétude charmante l'anime, elle vit, elle murmure du grenier à la cave. Grâce à moi la journée s'écoule comme un long jeu ; un vaudeville joyeux s'ébauche à la cuisine, se mue, dans la salle à manger, en pantomime sacrée, se corse d'un peu de drame au jardin, et se mouille de larmes, le soir, au coin du feu. Des cris variés, agréables comme des chants, s'envolent par les fenêtres, tourbillonnent dans la spirale de l'escalier comme des fleurs éclatantes.

« — Où est le petit balai du foyer. Il était là à l'instant ! — Le voici, mais sans crins, et tout rongé. Qui l'a rongé ? — C'est le chien de berger. — Non, c'est la

sournoise Lola. — Non, c'est Poucette ! — Poucette !
Poucette ! Où est Poucette ? — Le tapis... oh ! le tapis
est mouillé ! Qui a sali le tapis ? encore le chat ? —
Non, le chat est en haut... C'est Poucette ! — Pourtant,
je viens de la voir dans la cuisine... — Et le vase chinois ? Comment ? on a cassé le vase chinois ? — Que me
parlez-vous de vase chinois ? le poulet froid vient de
disparaître ! — Mais où est Poucette ? Poucette ? Poucette ? »

« O divin vacarme de cris, d'aboiements, de miaule-
ments offensés, de talons légers qui galopent d'un étage
à l'autre ! Au plus fort de la fête, je parais, lente, les
sourcils hauts, lourde d'un innocent sommeil, et capa-
raçonnée encore d'un bout de couverture traînante.
Imprudente, étonnée, je flaire la tache ronde du tapis,
les débris du vase chinois ; et quelles suspicions tien-
draient contre ma danse soudaine, mon allégresse de
chienne-enfant qui foule les décombres sans les voir ?

« Parfois, dans le doute où je vous jette, vous incli-
nez à me punir, et vous partez sans moi pour la promenade... Partez, partez !... Je vous regarde partir. Je ne
me lamente point. Mon regard, qui vous suit, est celui
d'un martyr, mais d'un martyr modeste, et non d'un
ostentatoire crucifié... Tout au plus, au retour, me
trouvez-vous dolente, désenchantée, et sans appétit...
Ne faites pas attention à moi, je vous en conjure ! Si
j'ai refusé ma pâtée, ce soir, c'est pure coïncidence...

« Le lendemain, à l'heure de sortir, vous m'appelez

comme si j'habitais à trois lieues de là : on n'entend que vous !

« Poucette ! Poucette ! Promener ! Pro-me-ner ! » Promener ? vraiment ? vous y tenez tant que ça ? Allons, j'y consens. Mais pas trop loin. Jusqu'au coin de l'avenue, tenez, jusqu'au coin où...

« Poucette ! Eh bien ! traverse, voyons, qu'est-ce que tu attends ? »

« Ce que j'attends ? j'attends la mort. Aplatie sur le trottoir, ni plus ni moins qu'une grenouille sur laquelle a passé la roue d'un tombereau, je gis, grelottante, à vos pieds. Un seul mouvement de votre bras m'arrache des cris étranglés. Si vous me tirez par mon collier, c'est une loque que vous traînez, une dépouille que la vie a quittée presque, la peau d'une chienne bull évanouie d'épouvante !

« Poucette ! Mais qu'est-ce qu'elle a, cette bête ! Qu'est-ce qu'elle a ?... »

« Et la voix d'une foule indignée — le cocher en maraude, le mitron flâneur, le plombier bleu, l'écolier en capuchon pointu, la vieille dame aux gants de fil reprisés et la petite-femme-qui-aime-bien-les-bêtes, arrêtés, penchés sur moi — vous répond, sévère :

« — Ce qu'elle a ? Ce n'est pas malin à deviner, ce qu'elle a... Pauvre bête ! Si c'est pas malheureux d'avoir des chiens pour les tuer de coups ! En voilà une qui a la vie dure ! Il y a des gens qui n'ont pas de cœur !... »

« Je suis vilaine, hein ? Vous m'en voulez ! Allons,
ne faites pas des yeux tristes, ne hochez pas la tête :
« Poucette, Poucette... » Acceptez-moi telle que je suis,
toute bouillonnante de ténébreuse malice, et menteuse,
menteuse, menteuse !...

★
★ ★

BAIN DE SOLEIL. — « Poucette, tu vas te cuire le
sang ! viens ici tout de suite ! » Ainsi apostrophée du
haut de la terrasse, la chienne bull lève seulement son
museau de monstre japonais couleur de bronze. Sa
gueule, fendue jusqu'à la nuque, s'entrouvre pour un
petit halètement court et continu, fleurie d'une langue
frisée, rose comme un bégonia. Le reste de son corps
traîne, écrasé comme celui d'une grenouille morte...
Elle n'a pas bougé ; elle ne bougera pas, elle cuit...

. . . .

Mon pied nu tâte amoureusement la pierre chaude de
la terrasse, et je m'amuse de l'entêtement de Poucette,
qui continue sa cure de soleil avec un sourire de sup-
pliciée... « Veux-tu venir ici, sale bête ! » Et je descends l'escalier dont les derniers degrés s'enlisent,
recouverts d'un sable plus mobile que l'onde, ce sable
vivant qui marche, ondule, se creuse, vole et crée sur
la plage, par un jour de vent, des collines qu'il nivelle
le lendemain...

. . . .

LA CHIENNE QUI MÉRITA DE REVENIR

Je rêve. Fond noir enfumé de nues d'un bleu très sombre, sur lequel passent des ornements géométriques auxquels manque toujours un fragment, soit de cercle parfait, soit de leurs trois angles, de leurs spirales rehaussées de feu. Fleurs flottantes sans tiges ou sans feuilles. Jardins inachevés ; partout règne l'imperfection du songe, son atmosphère de supplique, d'attente et d'incrédulité.

Point de personnages. — Silence, puis un aboiement triste, étouffé.

Moi, *en sursaut.* — Qui aboie ?

Une chienne. — Moi.

Moi. — Qui, toi ? Une chienne ?

Elle. — Non. La chienne.

Moi. — Bien sûr, mais quelle chienne ?

Elle, *avec un gémissement réprimé.* — Il y en a donc une autre ? Quand je n'étais pas encore l'ombre

que voici, tu ne m'appelais que « la chienne ». Je suis
ta chienne morte.

Moi. — Oui... Mais... Quelle chienne morte ? Pardonne-moi...

Elle. — Je te pardonne, si tu devines : je suis celle
qui a mérité de revenir.

Moi, *sans réfléchir*. — Ah ! je sais ! Tu es Nell,
qui tremblait mortellement aux plus subtils signes de
départ et de séparation, qui se couchait sur le linge
blanc dans le compartiment de la malle et faisait une
prière pour devenir blanche, afin que je l'emmenasse
sans la voir... Ah ! Nell !... Nous avons bien mérité
qu'une nuit enfin te rappelle du lieu où tu gisais...

*Un silence. Les nues bleu sombre cheminent sur le
fond noir.*

Elle, *d'une voix plus faible*. — Je ne suis pas Nell.

Moi, *pleine de remords*. — Oh ! je t'ai blessée ?

Elle. — Pas beaucoup. Bien moins qu'autrefois,
quand d'une parole, d'un regard, tu me consternais...
Et puis, tu ne m'as peut-être pas bien entendue : je
suis la chienne, te dis-je...

Moi, *éclairée soudain*. — Oui ! Mais oui ! la chienne !
Où avais-je la tête ? Celle de qui je disais, en entrant :
« La chienne est là ? » Comme si tu n'avais pas d'autre
nom, comme si tu ne t'appelais pas Lola... La chienne
qui voyageait avec moi toujours, qui savait de naissance
comment se comporter en wagon, à l'hôtel, dans une
sordide loge de music-hall... Ton museau fin tourné vers

la porte, tu m'attendais... Tu maigrissais de m'attendre... Donne-le, ton museau fin que je ne peux pas
voir ! Donne que je le touche, je reconnaîtrais ton
pelage entre cent autres... (*Un long silence. Quelques-
unes des fleurs sans tige ou sans feuilles s'éteignent.*)
Où es-tu ? Reste ! Lola...

ELLE, *d'une voix à peine distincte.* — Hélas !... Je
ne suis pas Lola !

MOI, *baissant aussi la voix.* — Tu pleures ?

ELLE, *de même.* — Non. Dans le lieu sans couleur où
je n'ai pas cessé de t'attendre, c'en est fini pour moi des
larmes, tu sais, ces larmes pareilles aux pleurs humains,
et qui tremblaient sur mes yeux couleur d'or...

MOI, *l'interrompant.* — D'or ? Attends ! D'or, cer-
clés d'or plus sombre, et pailletés...

ELLE, *avec douceur.* — Non, arrête-toi, tu vas
encore me nommer d'un nom que je n'ai jamais
entendu. Et peut-être qu'au loin des ombres de
chiennes couchées tressailliraient de jalousie, se lève-
raient, gratteraient le bas d'une porte qui ne s'ouvre
pas cette nuit pour elles. Ne me cherche plus. Tu ne
sauras jamais pourquoi j'ai mérité de revenir. Ne
tâtonne pas, de ta main endormie, dans l'air noir et
bleu qui me baigne, tu ne rencontreras pas ma robe...

MOI, *anxieuse.* — Ta robe... couleur de froment ?

ELLE. — Chut ! Je n'ai plus de robe. Je ne suis
qu'une ligne, un trait sinueux de phosphore, une pal-
pitation, une plainte perdue, une quêteuse que la mort

n'a pas mise en repos, le reliquat gémissant, enfin, de la chienne...

Moi, *criant.* — Reste ! Je sais ! Tu es...

Mais mon cri m'éveille, dissout le bleu et le noir insondables, les jardins inachevés, crée l'aurore et éparpille, oubliées, les syllabes du nom que porta sur la terre, parmi les ingrats, la chienne qui mérita de revenir, la chienne...

VORACE

Le sergent permissionnaire ne trouva pas, en arrivant à Paris, sa maîtresse chez elle. Mais il fut quand même accueilli par des cris chevrotants de surprise et de joie, étreint, mouillé de baisers : Vorace, sa chienne de berger, la chienne qu'il avait confiée à sa jeune amie, l'enveloppa comme une flamme, et le lécha d'une langue pâlie par l'émotion.

. . . .

Ils dînèrent tous deux, l'homme et la chienne, celle-ci fidèle aux rites de leur existence ancienne, happant le pain, aboyant aux mots prescrits, figée dans un culte si brûlant que l'heure du retour abolissait pour elle les mois d'absence.

— Tu m'as bien manqué, lui avoua-t-il tout bas. Oui, toi aussi !...

Il fumait maintenant, à demi étendu sur le divan. La chienne, couchée comme les lévriers des tombeaux, fei-

gnait de dormir et ne remuait pas les oreilles. Ses sourcils seuls, bougeant au moindre bruit, trahissaient sa
vigilance.

. . . .

... Dix heures sonnèrent et la chienne se leva.

— Chut ! fit le sergent assoupi. Couchez !

Mais Vorace ne se recoucha pas, s'ébroua, étira ses
pattes, ce qui équivaut, pour un chien, à mettre son
chapeau pour sortir. Elle s'approcha de son maître et
ses yeux jaunes questionnèrent clairement :

— Eh bien ?

— Eh bien, répondit-il, qu'est-ce que tu as ?

Elle baissa les oreilles pendant qu'il parlait, par
déférence, et les releva aussitôt.

— Oh ! soupira le sergent, que tu es ennuyeuse ! Tu
as soif ! Tu veux sortir ?

Au mot « sortir », Vorace rit et se mit à haleter doucement, montrant ses belles dents et le pétale charnu
de sa langue.

— Allons, viens, on va sortir. Mais pas longtemps.
Je meurs de sommeil, moi, tu sais !

Dans la rue, Vorace enivrée aboya d'une voix de
loup, sauta jusqu'à la nuque de son maître, chargea un
chat, joua en rond « au chemin de fer de ceinture ».
Son maître la grondait tendrement, et elle paradait pour
lui. Enfin, elle reprit son sérieux et marcha posément.

. . . .

Il s'aperçut que sa chienne, en avant l'attendait, sous

un bec de gaz, avec le même air d'impatience. Ses yeux,
sa queue battante et tout son corps questionnaient :

— Eh bien ! Tu viens ?

Il la rejoignit, elle tourna la rue d'un petit trot
résolu. Alors il comprit qu'elle allait quelque part.

. . . .

Il s'arrêta un moment, puis repartit, suivant la
chienne, sans même s'apercevoir qu'il venait de cesser,
à la fois, d'être fatigué, d'avoir sommeil et de se sentir
heureux. Il pressa le pas, et la chienne joyeuse le précéda, en bon guide.

— Va, va... commandait de temps en temps le sergent.

Il regardait le nom d'une rue, puis repartait. Point
de passants, peu de lumière ; des pavillons, des jardins.
La chienne, excitée, vint mordiller sa main pendante,
et il faillit la battre, retenant une brutalité qu'il ne
s'expliquait pas.

Enfin elle s'arrêta : « Voilà, on est arrivé ! » devant
une grille ancienne et disloquée, qui protégeait le jardin
d'une maisonnette basse, chargée de vigne et de bigno-
nier, une petite maison peureuse et voilée...

— Eh bien, ouvre donc ! disait la chienne campée
devant le portillon de bois.

Le sergent leva la main vers le loquet, et la laissa
retomber. Il se pencha vers la chienne, lui montra du
doigt un fil de lumière au long des volets clos, et lui
demanda tout bas :

— Qui est là ?... Jeannine ?...

La chienne poussa un : « Hi ! » aigu et aboya.

— Chut ! souffla le sergent en fermant de ses mains la gueule humide et fraîche...

Il étendit encore un bras hésitant vers la porte et la chienne bondit. Mais il la retint par son collier et l'emmena sur l'autre trottoir, d'où il contempla la maison inconnue, le fil de lumière rosée... Il s'assit sur le trottoir, à côté de la chienne. Il n'avait pas encore rassemblé les images ni les pensées qui se lèvent autour d'une trahison possible, mais il se sentait singulièrement seul, et faible.

— Tu m'aimes ? murmura-t-il à l'oreille de la chienne.

Elle lui lécha la joue.

— Viens, on s'en va.

Ils repartirent, lui en avant cette fois. Et quand ils furent de nouveau dans le petit salon, elle vit qu'il remettait du linge et des pantoufles dans un sac qu'elle connaissait bien. Respectueuse et désespérée, elle suivait tous ses mouvements, et des larmes tremblaient, couleur d'or, sur ses yeux jaunes. Il la prit par le cou pour la rassurer :

— Tu pars aussi. Tu ne me quitteras plus. Tu ne pourras pas, la prochaine fois, me raconter *le reste.* Peut-être que je me trompe... Peut-être t'ai-je mal comprise... Mais tu ne dois pas rester ici. Ton âme n'est pas faite pour d'autres secrets que les miens...

elle me suit à une allure traquenardeuse, un petit trot galopé et décousu qui fait rire les gens.

. . . .

Fossette est née chienne de luxe et cabotine : le *plateau* la passionne, et elle a la manie de vouloir monter dans toutes les automobiles de maître... C'est pourtant Stéphane-le-Danseur qui me l'a vendue, et Fossette n'a pas fait de stage chez une actrice fortunée.

⋆⋆⋆

. . . .

Galvanisée trop tard, j'use le reste de mon ardeur en rentrant à pied avec Fossette, en qui les répétitions accumulent une rage muette, qu'elle assouvit dehors, sur des chiens plus grands qu'elle. Elle les terrorise, en mime géniale, par une seule convulsion de son masque de dragon japonais, par une grimace abominable qui pousse ses yeux hors de la tête, retrousse les babines, et montre, sous leur sanguine doublure quelques dents blanches plantées de guingois comme les lattes d'une palissade bousculée par le vent.

Grandie dans le métier, Fossette connaît le music-hall mieux que moi-même, trotte dans les sous-sols obscurs, boule le long des couloirs, se guide à l'odeur familière d'eau savonneuse, de poudre de riz et d'ammoniaque... Son corps bringé connaît l'étreinte des bras enduits de blanc de perle ; elle daigne manger le sucre que les figu-

FOSSETTE

Encore un dimanche !... Et, comme le froid clair a succédé au froid noir, nous avons pris notre récréation hygiénique, la chienne et moi, au Bois, entre onze heures et midi, — après le déjeuner, il y a matinée... Cette bête me ruine. Sans elle, je pourrais atteindre le Bois en métro, mais elle me donne du plaisir pour mes trois francs de taxi. Noire comme une truffe, elle reluit au soleil, astiquée à la brosse et au chiffon de flanelle, et le bois tout entier lui appartient, qu'elle possède à grand bruit de ronflements porcins, d'aboiements parmi les feuilles sèches remuées...

Beau dimanche et joli Bois de Boulogne ! C'est notre forêt, notre parc, à Fossette et à moi, vagabondes cita- dines qui ne connaissons plus guère la campagne... Fossette court plus vite que moi, mais je marche plus vite qu'elle, et, quand elle ne joue pas « au train de ceinture », les yeux saillants et fous, la langue dehors,

Et tandis que la chienne frémissait, encore incertaine, il lui tenait la tête entre ses mains, en lui parlant tout bas :

— Ton âme... Ton âme de chienne... Ta belle âme...

Planche XI

rants raflent dans les soucoupes, au café d'en bas.
Capricieuse, elle exige parfois que je l'emmène, le soir,
et d'autres jours me regarde partir, roulée en turban
dans sa corbeille, avec le mépris d'une rentière qui
prend, elle, tout le temps de digérer.

— C'est samedi, Fossette ! Courons ! Hamond sera
arrivé avant nous !

. . . .

⋆_⋆_⋆

. . . .

Fossette porte à présent un collier de maroquin rouge
à clous dorés, d'un goût sportif et déplorable. Je n'ai
pas osé dire que je le trouvais laid... Elle fait la cour
— damnée petite femelle servile ! — au monsieur bien
mis qui sent l'homme et le tabac, qui la caresse d'une
adroite claque sur le râble...

. . . .

Trois têtes se lèvent lorsque j'entre dans mon salon
de travail : celles d'Hamond, de Fossette et de
Dufferein-Chautel. Serrés tous trois sous l'abat-jour
rose autour d'une petite table, ils jouaient à l'écarté en
m'attendant. Fossette sait jouer aux cartes à la manière
des bulls ; grimpée sur une chaise, elle suit le va-et-vient
des mains, prête à happer au vol une carte jetée trop
loin.

. . . .

Une petite bête rousse partit sous nos pieds, fouine ou belette, que Fossette prétendit forcer à la course, et nous suivîmes la chienne emballée, obtuse, ostentatoire, qui aboyait : « Je la vois ! je la tiens ! » sur une piste imaginaire...

. . . .

*
* *

Fossette a glissé, entre nous, son crâne de bronze, qui reluit comme du palissandre... Ma petite compagne flaire le départ. Elle a reconnu la valise aux coins écorchés et le manteau imperméable, elle a vu la boîte anglaise émaillée de noir, la cassette à maquillage... Elle sait que je ne l'emmènerai pas, elle se plie d'avance à une vie, d'ailleurs choyée, de balades avec Blandine sur les fortifs, de soirées chez la concierge, de dîners en ville et de goûters dans le Bois... « Je sais que tu reviendras, disent ses yeux bridés, mais quand ? »

. . . .

Vous m'avez promis de consoler Fossette. Elle est à vous autant qu'à moi. Faites attention qu'elle ne vous pardonnerait pas, en mon absence, une exagération de prévenances. Son tact de chienne bull va jusqu'à la plus délicate austérité sentimentale et s'offense, quand je la délaisse, qu'un tiers affectueux s'aperçoive de son chagrin, fût-ce pour l'en distraire.

. . . .

⋆⋆

Nous sommes seuls ; je compte pour peu de chose la présence d'une dame à pince-nez, et de son petit chien bull qui refuse de se coucher, s'endort debout, pique du nez en avant, se réveille et recommence, comme faisait Fossette, ma défunte Fossette. J'ai dit à Jean :

— Si vous aviez connu Fossette...

LOLA

Lola ne venait pas me rejoindre tout de suite. Elle attendait que le sourd travail d'ascension se fût tu, que le dernier fox-terrier eût caché, au tournant de l'échelle, son derrière blanc de lapin. Puis elle poussait ma porte entrebâillée, du bout de son museau insinuant.

Elle était si blanche que ma loge sordide s'éclairait. Un long, long corps de lévrier, blanc de neige, la nuque, les coudes, les cuisses et la queue hérissés d'un argent fin, d'un flottant poil brillant comme du fil de verre. Elle entrait et levait vers moi ses prunelles mêlées de brun et d'orange, dont la rare couleur eût suffi à émouvoir. Sa langue rose et sèche pendait un peu, et elle haletait doucement, de soif...

« Donne-moi à boire... Donne-moi à boire, quoiqu'on l'ait défendu... Mes compagnons ont soif, là-haut, on ne doit pas boire avant le travail... Mais, toi, donne-moi à boire... »

Elle lapait l'eau tiédie, dans la cuvette de zinc que je rinçais pour elle. Elle lapait avec une distinction qui semblait, comme tous ses gestes, affectée, et j'avais honte, devant elle, du bord écaillé de la cuvette, du broc cabossé, du mur gras qu'elle évitait de frôler...

Pendant qu'elle buvait, je regardais ses petites oreilles en forme d'ailes, ses pattes dures comme celles d'un cerf, ses reins sans chair et ses beaux ongles, blancs comme son poil.

Désaltérée, elle détournait de la cuvette son pudique museau effilé, et me livrait un peu plus longtemps son regard où je ne pouvais rien lire, sinon une vague inquiétude, une sorte de prière farouche... Puis elle montait toute seule vers le plateau, où son rôle se bornait, d'ailleurs, à une figuration honorable, à quelques sauts de barrière qu'elle accomplissait élégamment avec une puissance dissimulée et paresseuse. La rampe avivait l'or de ses yeux, et elle répondait à chaque claquement de la chambrière par une grimace nerveuse, un menaçant sourire qui découvrait des gencives roses et des dents parfaites.

Pendant presque un mois, elle ne me demanda rien que l'eau fade et tiède dans la cuvette écaillée. Chaque soir, je lui disais, sans paroles : « Prends. Je voudrais te donner tout ce qui t'est dû. Car tu m'as reconnue, et tu m'as demandé à boire, toi qui ne parles à personne, pas même à la dame viennoise qui noue, d'une main potelée et autoritaire, un collier bleu à ton cou de serpent... »

Le vingt-neuvième jour, j'embrassai, chagrine, la chienne sur son front satiné et plat, et le trentième jour... je l'achetai.

« Belle, mais pas savante », me confia la dame viennoise. Elle gazouilla pour Lola, en manière d'adieu, des gentillesses austro-hongroises ; la chienne se tenait debout auprès de moi, sérieuse, et regardait droit devant elle, avec un air dur, en louchant un peu. Et puis, je pris la laisse pendante, et je marchai, et les longs fuseaux secs, armés de griffes blanches, mesurèrent leurs pas sur les miens...

Elle me suivit moins qu'elle ne m'accompagna, et je soulevais, pour qu'elle ne lui pesât point, la chaîne de cette princesse prisonnière. Sa rançon, que j'avais payée, suffirait-elle à la faire mienne ?

Ce jour-là, Lola ne mangea pas et refusa de boire l'eau fraîche que je lui offris dans un bol blanc acheté tout exprès. Mais elle tourna languissamment son cou onduleux, son museau fiévreux et fin vers la vieille cuvette écaillée. Elle y but, et releva vers moi son généreux regard, pailleté comme une liqueur étincelante.

« Je ne suis pas une princesse enchaînée, mais une chienne, une vraie chienne, au cœur de chienne. Je suis innocente de toute cette beauté que l'on voit trop, et qui t'a fait envie. Est-ce pour elle seule que tu m'as achetée ? Est-ce pour ma robe d'argent, mon ventre en arceau qui avale l'air, ma poitrine en carène, mes os secs et sonores, nus sous ma chair avare et légère ? Ma démarche t'enchante, et aussi le bond harmonieux dont je semble franchir à la fois et couronner un portique invisible, et tu me nommes princesse enchaînée, chimère, beau serpent, cheval-fée... et te voilà interdite devant moi... Je ne suis qu'une chienne au cœur de chienne, orgueilleuse, malade de tendresse, et tremblant de se donner trop vite. C'est moi qui tremble, parce que tu m'as échangée, à jamais, contre ce peu d'eau tiédie que ta main versa, tous les soirs, au fond d'une cuvette écaillée... »

LE CHIOT DE MUSETTE

. . . .

— Va voir, Minet-Chéri, le nourrisson de Musette !

Je m'en fus à la cuisine où Musette nourrissait, en effet, un monstre à robe cendrée, encore presque aveugle, presque aussi gros qu'elle, un fils de chien de chasse qui tirait comme un veau sur les tétines délicates, d'un rose de fraise dans le poil d'argent et foulait rythmiquement, de ses pattes onglées, un ventre soyeux qu'il eût déchiré, si... ma mère n'eût taillé et cousu pour lui, dans une ancienne paire de gants blancs, des mitaines de daim qui lui montaient jusqu'au coude. Je n'ai jamais vu un chiot de dix jours ressembler autant à un gendarme.

. . . .

voix grasse et assourdie de dogue, mais parlait d'autre manière, donnant son avis d'un sourire à lèvres noires et à dents blanches, baissant, d'un air complice, ses paupières charbonnées sur ses yeux de mulâtresse.

Elle apprit nos noms, cent paroles nouvelles, les noms des chattes, aussi vite que l'eût fait un enfant intelligent. Elle nous adopta tous dans son cœur, suivit ma mère à la boucherie, me fit un bout de conduite quotidienne sur le chemin de l'école. Mais elle appartenait à ce frère aîné qui l'avait sauvée de la corde ou du coup de revolver. Elle l'aimait au point de perdre contenance devant lui. Pour lui elle devenait sotte, courbait le front et ne savait plus que courir au-devant des tourments qu'elle espérait comme des récompenses. Elle se couchait sur le dos, offrait son ventre, clouté de tétines violacées, sur lesquelles mon frère pianotait, en les pinçant à tour de rôle, l'air du *Menuet* de Boccherini. Le rite commandait qu'à chaque pinçon la Toutouque jetât — elle n'y manquait point — un petit glapissement, et mon frère s'écriait, sévère : « Toutouque ! vous chantez faux ! Recommencez ! » Il n'y mettait aucune cruauté ; un effleurement arrachait, à la Toutouque chatouilleuse, une série de cris musicaux et variés. Le jeu fini, elle demeurait gisante et réclamait : « Encore ! »

Mon frère lui rendait tendresse pour tendresse, et composa pour elle ces chansons qui s'échappent de nous dans des moments de puérilité sauvage, ces enfants étranges du rythme, du mot répété, épanouis dans le vide innocent de l'esprit. Un refrain louait la Toutouque d'être :

> Jaune, jaune, jaune,
> Excessivement jaune,
> A la limite du jaune...

Un autre célébrait ses formes massives, et l'appelait, par trois fois, « cylindre sympathique », sur une excellente cadence de marche militaire. Alors la Toutouque riait aux éclats, c'est-à-dire qu'elle découvrait les dents de sa mâchoire grignarde, couchait le restant émondé de ses oreilles et hochait, en place de sa queue absente, son gros train postérieur. Dormît-elle au jardin, s'occupât-elle gravement à la cuisine, l'air du « cylindre », chanté par mon frère, ramenait la Toutouque à ses pieds, captivée par l'harmonie familière.

Un jour que la Toutouque cuisait, après le repas, sur le marbre brûlant du foyer, mon frère, au piano, sertit sans paroles, dans l'ouverture qu'il déchiffrait, l'air du « cylindre ». Les premières notes effleurèrent, comme des mouches importunes, le sommeil de la bête endormie. Son pelage ras de vache blonde tressaillit ici et là, et son oreille... La reprise énergique — piano *solo* — entrouvrit les yeux, pleins d'humain égarement, de la Toutouque musicienne, qui se leva et m'interrogea clairement : « Est-ce que je n'ai pas entendu cela quelque part ?... » Puis elle se tourna vers son ingénieux bour-

reau, qui martelait toujours l'air favori, accepta de lui
cette magie nouvelle et vint s'asseoir au flanc du piano,
pour écouter mieux, avec l'air entendu et mystifié d'un
enfant qui suit une conversation entre grandes per-
sonnes.

Sa douceur désarmait toutes les taquineries. On lui
confiait les petits chats à lécher, les chiots des lices
étrangères. Elle baisait les mains des marmots trébu-
chants, se laissait piquer du bec par les poussins, et je
la méprisai un peu pour sa mansuétude de commère
repue, jusqu'au jour où, les temps marqués étant venus,
la Toutouque s'éprit d'un chien de chasse, le setter
d'un cafetier voisin. C'était un grand setter doué,
comme tous les setters, d'un charme second-empire ;
blond acajou, long-chevelu, l'œil pailleté, il manquait
de physionomie, non de distinction. Sa femelle lui res-
semblait comme une sœur ; mais, nerveuse et sujette à
des vapeurs, elle jetait des cris pour un claquement de
porte et se lamentait au son des angélus. Sensible à la
seule euphorie, leur maître les nommait Black et
Bianca.

La brève idylle m'apprit à mieux connaître notre
Toutouque. Passant avec elle devant le café, je vis
Bianca la rousse, couchée sur la pierre du seuil, pattes
croisées, ses anglaises défrisées le long des joues. Les
deux chiennes n'échangèrent qu'un regard et Bianca fit
le grand cri de la patte cassée en se réfugiant au fond
de la buvette. La Toutouque ne m'avait pas quittée

d'une semelle, et son bel œil de soularde sentimentale
s'étonnait : « Qu'est-ce qu'elle a ? »

— Laisse-la, lui répondis-je, tu sais bien qu'elle est
à moitié folle.

Personne ne s'inquiétait, à la maison, des affaires
personnelles de la Toutouque. Libre d'aller, de venir,
de pousser du nez la porte battante, de dire bonjour à
la bouchère, de rejoindre mon père à sa partie d'écarté,
nous ne craignions point que la Toutouque s'égarât, ni
qu'elle songeât à mal faire. Aussi, quand le cafetier
vint nous informer, en accusant la Toutouque, que sa
chienne Bianca avait l'oreille déchirée, nous éclatâmes
tous d'un rire impertinent, en lui désignant la Toutouque, vautrée, béate, cardée par un petit chat impé-
tueux...

Le lendemain matin je m'étais installée, stylite, sur
le chapiteau d'un des piliers que reliait l'un à l'autre
la grille du jardin, et j'y prêchais des foules invisibles,
quand j'entendis accourir une mêlée de hurlements
canins, dominés par la voix haute et désespérée de
Bianca. Elle parut, décoiffée et hagarde, dépassa le
coin de la rue de la Roche, dévala la rue des Vignes.
A ses trousses roulait, avec une rapidité inconcevable,
une sorte de monstre jaune, hérissé, les pattes ramenées
sous le ventre puis projetées de tous côtés, en membres
de grenouille, par la fureur de sa course, — une bête
jaune, masquée de noir, garnie de dents, d'yeux exor-
bités, d'une langue violacée où écumait la salive... Le

tout passa en trombe, disparut, et pendant que je quittais à la hâte mon chapiteau, je distinguai dans l'éloignement le choc, le râle orageux d'un combat très court, et la voix encore de la chienne rouge, meurtrie... Je traversai le jardin en courant, j'atteignis la porte de la rue, m'arrêtai de stupeur : la Toutouque, le monstre entrevu, jaune, carnassier, Toutouque était là, couchée sur le perron...

— Toutouque !...

Elle essaya son sourire de bonne nourrice, mais elle haletait, et le blanc de ses yeux, strié de filets sanguins, semblait saigner...

— Toutouque ! est-ce possible ?

Elle se leva, frétilla pesamment et prétendit changer de conversation, mais sa lèvre noire, et la langue qui voulut effleurer mes doigts, retenaient des poils d'or roux arrachés à Bianca...

— Oh ! Toutouque... Toutouque...

Je ne trouvais pas d'autres paroles, et ne savais comment me plaindre, m'effrayer et m'étonner qu'une force malfaisante, dont le nom même échappait à mes dix ans, pût changer en brute féroce la plus douce des créatures...

DOMINO

Le dimanche, elle manquait rarement la messe. L'hiver, elle y menait sa chaufferette, l'été son ombrelle ; en toutes saisons un gros paroissien noir et son chien Domino, qui fut tour à tour un bâtard de loulou et de fox, noir et blanc, puis un barbet jaune.

Le vieux curé Millot, quasi subjugué par la voix, la bonté impérieuse, la scandaleuse sincérité de ma mère, lui remontra pourtant que la messe ne se disait pas pour les chiens.

Elle se hérissa comme une poule batailleuse :

« Mon chien ! Mettre mon chien à la porte de l'église ! Qu'est-ce que vous craignez donc qu'il y apprenne ? »

— Il n'est pas question de...

— Un chien qui est un modèle de tenue ! Un chien qui se lève et s'assied en même temps que tous vos fidèles !

— Ma chère Madame, tout cela est vrai. N'empêche

que dimanche dernier il a grondé pendant l'élévation !

— Mais certainement, il a grondé pendant l'éléva-tion ! Je voudrais bien voir qu'il n'ait pas grondé pen-dant l'élévation ! Un chien que j'ai dressé moi-même pour la garde et qui doit aboyer dès qu'il entend une sonnette !

PATI

« C'est une merveille ! U-ne mer-veille ! »

— Je le sais bien ! Elle s'arrange pour ça. Elle le fait exprès !

Cette réplique me vaut de la dame-que-je-connais-un-peu un regard indigné. Elle caresse encore une fois, avant de s'éloigner, la tête ronde de Pati-Pati, et soupire : « Amour, va ! » sur l'air de « pauvre martyr incompris... » Ma brabançonne lui dédie, en adieu, un coup d'œil sentimental et oblique — beaucoup de blanc, très peu de marron — et s'occupe immédiatement, pour faire rire un inconnu qui l'admire, d'imiter l'aboiement du chien. Pour imiter l'aboiement du chien, Pati-Pati gonfle ses joues de poisson-lune, pousse ses yeux hors des orbites, élargit son poitrail en bouclier, et profère à demi-voix quelque chose comme :

— Gou-gou-gou...

Puis elle rengorge son cou de lutteur, sourit, attend les applaudissements, et ajoute, modeste :

— Oa.

Si l'auditoire pâme, Pati-Pati, dédaignant le *bis*, le comble en modulant une série de sons où chacun peut reconnaître le coryza du phoque, la grenouille roucoulant sous l'averse d'été, parfois le klaxon, mais jamais l'aboiement du chien.

A présent, elle échange, avec un dîneur inconnu, une mimique de Célimène :

— Viens, dit l'inconnu, sans paroles.

— Pour qui me prenez-vous ? réplique Pati-Pati. Causons, si vous voulez. Je n'irai pas plus loin.

— J'ai du sucre dans ma soucoupe.

— Croyez-vous que je ne l'aie pas vu ? Le sucre est une chose, la fidélité en est une autre. Contentez-vous que je fasse miroiter, pour vous, cet œil droit, tout doré, prêt à tomber, et cet œil gauche, pareil à une bille d'aventurine... Voyez mon œil droit... Et mon œil gauche... Et encore mon œil droit...

J'interromps sévèrement le dialogue muet :

— Pati-Pati, c'est fini, ce dévergondage ?

Elle s'élance, corps et âme, vers moi :

— Certes, c'est fini ! Dès que tu le désires, c'est fini ! Cet inconnu a de bonnes façons... Mais tu as parlé : c'est fini ! que veux-tu ?

— Nous partons. Descends, Pati-Pati.

Adroite et véhémente, elle monte sur le tapis. Debout, elle est pareille — large du rein, bien pourvue en fesses, le poitrail en portique, à un minuscule cobaye.

Le masque noir rit, le tronçon de queue propage
jusqu'à la nuque son frétillement, et les oreilles
conjurent, tendues en cornes vers le ciel, une éventuelle
jettatura. Telle s'offre, à l'enthousiasme populaire, ma
brabançonne à poil ras, que les éleveurs estiment « un
sujet bien typé », les dames sensibles « une merveille »,
qui s'appelle officiellement Pati-Pati, plus connue dans
mon entourage sous le nom de « démon familier ».

Elle a deux ans, la gaîté d'un négrillon, l'endurance
d'un champion pédestre. Au Bois, Pati-Pati devance la
bicyclette ; elle se range, à la campagne, dans l'ombre
de la charrette, tout le long d'un bon nombre de kilo-
mètres.

Au retour, elle traque encore le lézard sur la dalle
chaude...

— Mais tu n'es donc jamais fatiguée, Pati-Pati ?

Elle rit comme une tabatière :

— Jamais ! Mais quand je dors, c'est pour une nuit
entière, couchée sur le même flanc. Je n'ai jamais été
malade, je n'ai jamais sali un tapis, je n'ai jamais
vomi, je suis légère, libre de tout péché, nette comme
un lys...

C'est vrai. Elle meurt de faim ponctuellement à
l'heure des repas. Elle délire d'enthousiasme à l'heure
de la promenade. Elle ne se trompe pas de chaise à
table, chérit le poisson, prise la viande, se contente
d'une croûte de pain, gobe en connaisseuse la fraise et
la mandarine. Si je la laisse à la maison, le mot « non ! »

lui suffit ; elle s'assoit sur le palier, d'un air sage, et cache un pleur. En métro, elle fond sous ma cape ; en chemin de fer, elle fait son lit elle-même, brassant une couverture et la moulant en gros plis. Dès la tombée du jour elle surveille la grille du jardin et aboie contre tout suspect.

— Tais-toi, Pati-Pati.

— Je me tais, répond diligemment Pati-Pati. Mais je fais le fauve, à la lisière des six mètres de jardin. Je passe ma tête entre les barreaux, je terrorise le mauvais passant, et le chat qui attend la nuit pour herser les bégonias, le chien qui lève la patte contre le géranium-lierre...

— Assez de vigilance, rentrons, Pati-Pati.

— Rentrons ! s'écrie-t-elle de tout son corps. Non sans que j'aie, ici, médité une minute, dans l'attitude de la grenouille du jeu de tonneau, et là, un peu plus longtemps, contractée, le dos bombé en colimaçon... Voilà qui est fait. Rentrons ! Tu as bien fermé les portes ? Attention ! Tu oublies une des chattes qui se cache sous le rideau et prétend passer la nuit dans la salle à manger... Je te l'houspille et je te la déloge et je te l'envoie dans son panier. Hop ! ça y est. A notre tour. Qu'est-ce que j'entends du côté de la cave ? Non, rien. Ma corbeille... mon pan de molleton sur la tête... et, plus urgente, ta caresse... Merci. Je t'aime. A demain.

Demain, si elle s'éveille avant huit heures, elle atten-

dra en silence, les pattes au bord du panier, les yeux
fixés sur le lit. La promenade d'onze heures la trouvera
prête, et toujours impeccable. Si c'est jour de bicyclette, Pati-Pati arque son dos pour que je la saisisse par
la peau et que je l'installe en avant du guidon, toute
ronde dans un panier à fraises. Dans les allées désertes
du Bois, elle saute à terre : « A droite, Pati-Pati, à
droite ! » En deux jours, elle a distingué sa droite, —
pardon, ma droite — de sa gauche. Elle comprend
cent mots de notre langue, sait l'heure sans montre,
nous connaît par nos noms, attend l'ascenseur au lieu
de monter l'escalier, offre d'elle-même, après le bain,
son ventre et son dos au séchoir électrique,

Si j'étale, au moment du travail, les cahiers de papier
teinté sur le bureau, elle se couche, soigne ses ongles
sans bruit et rêve, déférente, immobile. Le jour qu'un
éclat de verre la blessa, elle tendit d'elle-même sa patte,
détourna la tête pendant le pansement, de sorte que je
ne savais plus si je soignais une bête, ou bien un enfant
courageux... Quand la prendrai-je en faute ? Quel accident mit, sous un crâne rond de chien minuscule, tant
de complicité humaine ? On la nomme « merveille ». Je
cherche ce que je pourrais bien lui reprocher...

Ainsi crût, en vertu comme en beauté, Pati-Pati,
fleur du Brabant. Dans le seizième arrondissement, son
renom se répandit tellement que je consentis, pour elle,
à un mariage. Son fiancé, quand il l'approcha, ressem-
blait à un hanneton furieux, dont il avait la couleur, le

dos robuste, et ses petites pattes de conquérant piaffaient et griffaient le dallage. Pati-Pati l'aperçut à peine, et la brève entrevue où elle se montra si distraite n'eut point de lendemain.

Cependant, tout le long de soixante-cinq jours, Pati-Pati enfla, prit la forme d'un lézard des sables, ventru latéralement, puis celle d'un melon un peu écrasé, puis...

Deux Pati-Pati d'un âge tendre et d'un modèle extrêmement réduit vaguent maintenant dans une corbeille. Préservés de toute mutilation traditionnelle, ils portent la queue en trompe de chasse et les oreilles en feuilles de salade.

Ils tètent un lait abondant, mais qu'il leur faut acheter par des acrobaties au-dessus de leur âge. Pati-Pati n'a rien de ces lices vautrées, tout en ventre et en tétines, qui s'absorbent, béates, en leur tâche auguste. Elle allaite, assise, contraignant ses chiots à l'attitude du mécanicien aplati sous le tacot en panne. Elle allaite couchée en sphinx et le nez sur les pattes — « Tant pis ! qu'ils s'arrangent ! » — et s'en va, si le téléphone sonne, du côté de l'appareil, remorquant deux nourrissons ventousés à ses mamelles. Ils tètent, oubliés, vivaces, ils tètent au petit bonheur, et prospèrent malgré leur mère et son humain souci — trop humain — de toutes choses humaines.

« Qui a téléphoné ? J'entends la voiture... Où est mon collier ? Ton sac et tes gants sont sur la table, nous

allons sortir, n'est-ce pas ? On a sonné ! Tu m'emmènes
au *Matin* ? Je sens qu'il est l'heure... Qu'est-ce qui
traîne sous moi ? encore ce petit chien ! je le rencontre
partout... Et cet autre, donc... On ne voit que lui dans
la maison. Ils sont gentils ? Peuh !... oui, gentils. Partons, partons, dépêche-toi... Je ne te perds pas de l'œil,
si tu allais sortir sans moi... »

Pati-Pati, mes amis vous nommeront toujours, sans
que je proteste, « merveille des merveilles », et « perfection ». Mais je sais maintenant ce qui vous manque :
vous n'aimez pas les animaux.

*
**

. . . .

Ma chienne se tenait sur une chaise en face de moi,
assise dans le fond d'un bonnet de laine tricoté dont je
lui avais fait cadeau. Pour la correction et le silence à
table, elle en eût remontré à un enfant anglais.
Réserve qui n'allait pas sans calcul ; sachant que la
perfection de son attitude attirait non seulement la
considération générale, mais encore des témoignages
particuliers d'estime tels que « canards » imbibés de
café et bribes de gâteau, elle multipliait les airs de tête,
les jeux de prunelle, les ruses de la fausse modestie, de
la gravité affectée et toutes les grâces terrières. Une
sorte de salut militaire, inventé par elle, la patte de
devant levée à la hauteur de l'oreille, — qui était, si

j'ose écrire, son *ut* de poitrine — déchaînait les rires
et les ah ! et les oh ! et je dois reconnaître qu'elle en
abusait parfois.

J'ai parlé ailleurs de cette chienne très petite, réduc-
tion de chien athlétique, le poitrail bien ouvert, cornue
d'oreilles taillées, d'une santé et d'une intelligence à
toute épreuve. Comme quelques chiens à crâne rond,
— bouledogues, brabançons, chiens chinois — elle
« travaillait » seule, apprenait les mots par dizaines,
mettait au net un emploi du temps, enregistrait les sons
et leur attribuait sans erreur leur signification. Elle
possédait un « code de la route » selon que le voyage
s'accomplissait en chemin de fer ou en auto. Elevée en
Belgique, auprès des chevaux, elle suivait passionné-
ment tout sabot ferré, pour le plaisir de courir en ligne,
et se garait des atteintes.

Subtile, elle savait naturellement mentir et simuler.
Je l'ai vue, en Bretagne, imiter la tristesse courageuse
et la joue enflée d'une pauvre petite chienne qui a été
piquée par un frelon. Mais nous étions à deux de jeu,
et d'une tape je lui fis cracher sa fluxion : un crottin
d'âne bien sec, tout rond, qu'elle avait logé dans sa
joue pour le rapporter à domicile et l'exploiter longuement.

BELLAUDE

Aux petits danois qui roulent dans leur peau, mesu-
rée largement pour habiller un chien et demi, je préfère
les petits bas-rouges de la Beauce, race réfléchie, bergers pensants, chez qui le caractère se marque dès six
semaines. Identiques sous la robe noire et feu, portant
le double ergot postérieur, et l'arête saillante sur le
crâne, ils cessent de se ressembler, cérébralement, bien
plus tôt que ne le font des jumeaux humains. Sur la
portée de cinq que m'avait donnée ma belle chienne,
il fallait que j'en donnasse quatre... Lequel garder ?
Après la septième semaine, j'élus une petite femelle qui
jouait un peu moins que les quatre autres, qui regardait
sérieusement devant elle par moments, qui remuait à
tous bruits ses oreilles encore non taillées, recevait sans
broncher ni glapir les morsures de ses frères et sœurs,
s'essayait déjà à grimacer des menaces. Quand je la soulevais par la peau abondante de sa nuque, elle recon-

naissait ma main et pendait confiante, comme morte. Un peu plus tard, elle s'asseyait pour écouter une répri- mande, au lieu de fuir. « Tu seras donc ma chienne, lui dis-je, et tu t'appelleras Belle-Aude, à la mode des bergers de mon pays. »

J'eus l'orgueil et la joie de voir que sa mère la chienne avait fait le même choix que moi et qu'un amour sévère, un peu dissimulé, présidait à l'éducation de Belle-Aude. A elle les avis sans faiblesse, et même ces petits coups d'incisives, bien pinçants, qui forment l'esprit et les manières d'une bas-rouge en son premier âge. A elle ces soins scrupuleux imposés par l'hygiène, ces bousculades de langue-éponge qui retourne rude- ment paupières et oreilles, noie la puce, lustre le ventre puéril et nu ! Mais à Belle-Aude aussi un arrière-sourire chargé de pensée, une profonde rêverie contemplative, et la meilleure place pour dormir au long du flanc maternel...

Entre sa mère et moi Belle-Aude grandit, passa osseuse et gauche la périlleuse adolescence, ignora la « maladie ». Elle profita de tout ce qu'enseignait une règle maternelle étrange, hautaine, attentive, qui, la croissance à peine finie, n'admettait plus le jeu ni la familiarité. Mais quand la mère chienne mourut brus- quement d'un accident cardiaque, — ah, ce cœur... — elle me légua son double élégant, sa parfaite ressem- blance, une de ces rares compagnes qui se taisent à pro- pos, respectent notre travail et notre sommeil, gémissent de nos pleurs, et ferment les yeux avec une discrétion amère devant tout ce que leur dérobe — baiser d'amant, tendre embrassement d'enfant — la changeante amitié humaine.

✶ ✶
✶

. . . .

— Madame, Bellaude s'est sauvée.

— Depuis quand ?

— De ce matin, dès que j'ai ouvert. Il y avait un blanc et noir qui l'attendait à la porte.

— Ah ! mon Dieu ! Espérons qu'elle va rentrer ce soir...

La voilà donc partie. Sauf que ce mois est marqué pour les amours canines, rien ne faisait prévoir sa fuite ; elle nous suivait sans faute et sans distraction, belle dans sa robe noire et feu de bas-rouge, son amble nonchalant agitant à ses pattes de derrière, comme des pendeloques, ses doubles ergots. Elle flairait l'herbe, broutait, évitait avec mépris la frénésie circulaire des brabançonnes. Et puis, un jour, elle tomba en arrêt, pointa joyeusement les oreilles, visa un point lointain, sourit, et tout son corps s'écria, en clair langage de chienne :

— Ah ! le voilà !

Le temps de lui demander : « Qui donc ? » elle était à deux cents mètres, car elle l'avait vu, lui, *Lui*, quelque petit roquet jaune...

Elle recherche, elle, longue et légère comme une biche, elle, haute et d'encolure orgueilleuse — les nains, les bâtards de fox et de basset, les faux terriers, les loulous trépidants et minuscules. Elle aime entre tous un caniche blanc, enfoui depuis des hivers sous une neige terreuse que ne fond nul été. Il entoure ma bas-rouge d'une assiduité résignée de vieux lettré. Il la contemple d'en bas, comme par-dessus des lunettes, à travers sa chevelure blanche mal soignée. Il l'escorte, sans plus, et va derrière elle d'un petit trot traquenardeur qui secoue tous ses écheveaux de poils blanc sale.

La voilà partie. Où ? Pour combien de temps ? Je ne crains pas qu'on l'écrase ni qu'on la vole ; elle a, quand une main étrangère se tend vers elle, une manière serpentine de détourner le col, de montrer la dent qui déconcerte les plus résolus. Mais il y a le lasso, la fourrière...

Un jour passe.

— Madame, Bellaude n'est pas rentrée.

Il a plu, cette nuit, une pluie douce déjà printanière. Où erre la dévergondée ? Elle jeûne ; mais elle peut boire : les ruisseaux coulent, le Bois miroite de flaques.

Un petit chien mouillé monte la garde devant ma porte, à la grille du jardinet. Lui aussi, il attend Bellaude... Au Bois, je demande à mon ami le garde s'il n'a pas vu la grande chienne noire qui a du feu aux pattes, aux sourcils et aux joues... Il secoue la tête :

— Je n'ai rien vu de pareil. Qu'est-ce que j'ai donc

vu, aujourd'hui ? Pas grand-chose. Moins que rien.
Une dame qui n'était pas d'accord avec son mari, et un
monsieur en souliers vernis qui m'a demandé si je ne
connaîtrais pas deux pièces à louer dans une des maisons de gardes, vu qu'il était sans domicile... Vous
voyez, rien d'extraordinaire.

Un jour passe encore.

— Bellaude n'est toujours pas rentrée, Madame...

Je pars pour la promenade d'onze heures et demie,
résolue à battre les futaies d'Auteuil. Un printemps
caché y frémit jusque dans le vent, aigre s'il s'accélère,
mol et doux quand il s'attarde. Point de chienne noire
et feu, mais voici les cornes des futures jacinthes et la
feuille déjà large de l'arum pied-de-veau.

. . . .

Mais où est ma chienne ? Je longe une palissade en
lattes de châtaignier, je franchis des fils de fer tendus à
ras de terre, puis je bute contre une clôture de châtaignier, au bout de laquelle m'attend un fil de fer tendu
à ras de terre. Quelle sollicitude perverse multiplie,
pour décourager l'amateur de paysage et rompre les os
du promeneur, palissades et fils, les uns et les autres
nuisibles ? Je rebrousse chemin, lasse de longer, auprès
des fortifications, une palissade de châtaignier qui
défend, je le jure, une seconde palissade, servant elle-
même de rempart, un peu plus loin, à un grillage de
bois peint en vert... Et l'on ose accuser la Ville de
négliger le Bois !

Quelque chose remue derrière une de ces vaines clôtures... Quelque chose de noir... de feu... de blanc... de jaune... Ma chienne ! c'est ma chienne !

Edilité bénie ! Tutélaires barricades ! Enclos providentiels ! C'est non seulement ma chienne, à l'abri des voitures, c'est, en outre, — un deux, trois, quatre, cinq — cinq chiens autour d'elle, boueux, quelques-uns saignants de bataille, tous haletants, fourbus, le plus grand n'atteint pas trente centimètres au garrot...

— Bellaude !

Elle ne m'avait pas entendue venir, elle jouait Célimène. Vertueuse malgré elle, inaccessible par hasard, elle perd contenance à mon cri et d'un coup se prosterne, rappelée à la servilité...

— Oh ! Bellaude !

Elle rampe, elle m'implore. Mais je ne veux pas pardonner encore et je lui désigne, seulement, d'un geste théâtral, par-dessus les fortifications abolies, le chemin du devoir, le gîte... Elle n'hésite pas, elle saute la palissade et distance aisément, en quelques foulées, la meute des pygmées qui suit, langues flottantes...

Qu'ai-je fait là ? Si Bellaude allait rencontrer, sur sa route, un séducteur de belle stature...

— Madame, Bellaude est rentrée.

— Avec cinq petits chiens ?

— Non, Madame, avec un grand.

— Ah ! mon Dieu ! Où est-il ?

— Là, Madame, sur le talus.

Photo Viollet

Planche XIV

Oui, il est là, et je me souviens, avec un soupir de soulagement, que la chanson dit : « Il faut des époux assortis... » Celui qui attend Bellaude est un dogue d'Ulm, au regard obtus, passif sous son collier et sa muselière de cuir vert, et aussi lourd, aussi large, aussi haut — le hasard soit loué ! — qu'un veau.

BELLAUDE ET PATI

Avant Souci, nous fûmes longtemps trois à nous promener sagement au Bois de Boulogne : Bellaude la beauceronne sur ses hautes pattes noir et feu, moi sur ma bicyclette, et Pati, la minuscule terrière du Brabant, au creux d'un panier à fraises ficelé sur mon guidon. En atteignant les allées désertes, je déposais à terre l'impétueuse brabançonne, qui voulait toujours dépasser à la course la grande bergère de Beauce. Toutes deux obéissaient au commandement qui n'avait de poids et d'effet que si je l'articulais d'une certaine façon populacière : « Su' vot' d'oite, qu'on vous dit, su' vot' d'oite ! »

Plus d'un passant, à voir les deux chiennes distinguer si promptement leur droite de leur gauche et se ranger à la dextre de ma machine, restait planté de stupeur, un bon moment.

MOFFINO

C'est ma mère qui caressait la jument noire, qui offrait à ses dents jaunies des pousses tendres, et qui essuyait les pattes du chien pataugeur. Je n'ai jamais vu mon père toucher un cheval. Nulle curiosité ne l'a attiré vers un chat, penché sur un chien. Jamais un chien ne lui a obéi...

— Allons, monte ! ordonnait à Moffino la belle voix du capitaine.

Mais le chien, contre le marchepied de la voiture, battait de la queue froidement, et regardait ma mère...

— Monte, animal ! Qu'est-ce que tu attends ? répétait mon père.

« J'attends l'ordre », semblait répondre le chien.

— Eh ! saute ! lui criais-je.

Il ne se le faisait pas dire deux fois.

— C'est très curieux, constatait ma mère.

— Ça prouve seulement la bêtise de ce chien, répli-
quait mon père.

Mais nous n'en croyions rien, « nous autres », et mon
père, au fond, se sentait secrètement humilié.

NUITS DE NOËL

Les nuits de Noël, à la campagne, n'étaient pas plus opaques, et personne, il y a un demi-siècle, ne se souciait d'éclairer les rues de mon village autrement qu'à l'aide des grosses lanternes pendues au poing par un anneau, renforcées de barreaux. L'ombre divergente de ces barreaux tournoie encore dans mon souvenir, chemine encore à mon côté, raye les murailles, les robes des paysannes, se balance sur le dos du chien...

Car le chien, — qu'il s'appelât Domino, Patasson, Finaud ou Lisette — le chien nous accompagnait à la messe de minuit en mémoire d'une nuit où le bœuf et l'âne avaient reçu le don de la parole. Il siégeait à notre banc de notables, entre Sido ma mère et sa fille, n'en paraissait pas surpris et écoutait les chants et l'harmonium.

MOULOUK

Dieux ! j'oubliais le chien, le chien Moulouk qui s'est voué à un seul, à Jean Marais... Mais je n'eus guère, le temps que dura notre réunion, à me souvenir de lui ; il s'évanouit dans l'ombre de Jean, se résorba en Jean, se changea en pied de fauteuil, en petit tapis persan, et il ne fut plus question de Moulouk jusqu'au moment du départ, sauf qu'auparavant il passa, de sa propre initiative, dans ma salle de bains.

— Qu'est-ce que tu cherches ? lui demanda Jean Marais à la cantonade.

— Un bidet pour boire, répondit le chien.

— A gauche, lui dis-je, derrière la baignoire. Le robinet fuit, il y a toujours assez d'eau dans la cuvette pour que tu boives.

— Bon, dit Moulouk. Je trouverai bien. Je ne suis ni sourd ni aveugle. Plock, plock, plock... La preuve.

Il rouvrit le rideau du bout de son museau humide et

se recoucha comme un sac de noix, en soupirant, car il entendait au diapason de nos voix que la visite ne finirait pas encore, et que personne ne proférait le mot fatidique.

DIANE

. . . .

Diane passe. Une épagneule truitée, qui doit penser que tous chemins mènent au Palais-Royal. En juin 1940, elle mettait bas quelque part en France, sous un bombardement, dans un bois taillis. Un homme, une femme, un enfant bossu qui fuyait emportant son violon, se terrèrent sous le même feuillage et l'entendirent gémir. Ils attendirent qu'elle eût fini, prirent un des cinq petits dans un sac d'où l'on retira du linge. Diane les suivit, et de temps en temps, le groupe s'arrêtait pour que la chienne allaitât le petit chien. Diane est ici, appartient un peu à tous. Mais elle a gardé un tremblement nerveux de la mâchoire, comme une personne, et le petit chien, quoique en bonne santé, n'a presque pas grandi.

. . . .

MARGOT ET LES CHIENS

. . . .

— Alors, que faire, Margot ? Que blâmez-vous dans ma vie actuelle ? Dois-je, comme vous, me cloîtrer dans la crainte d'un malheur pire, et n'aimer, comme vous, que les petits terriers brabançons à poils ras ?

— Garde-t'en bien ! s'écria Margot avec une vivacité enfantine. Les petits terriers brabançons ! il n'y a pas de rossards comme eux ! Voilà une bête, dit-elle en me montrant une petite chienne rousse, pareille à un écureuil tondu, une bête que j'ai soignée quinze nuits pendant sa bronchite. Quand je me permets de la laisser seule, une heure, à la maison, la petite crapule fait semblant de ne pas me reconnaître et gronde à mes trousses comme si j'étais un chemineau !...

. . . .

⋆⋆⋆

. . . .

Je trouve Margot immuablement pareille à elle-même dans le grand atelier où elle dort, se nourrit et élève ses chiens brabançons. Grande, droite, en blouse mosco- vite et longue veste noire, elle penche sa pâle figure aux joues romaines, ses rudes cheveux gris coupés au- dessous de l'oreille, sur un panier où remue un petit avorton jaune, un minuscule chien en chemise de fla- nelle qui lève vers elle un front bossué de bonze, de beaux yeux implorants d'écureuil... Autour de moi jappent et frétillent six bestioles effrontées qu'un cla- quement de fouet précipite dans leurs niches de paille.

— Comment, Margot, encore un brabançon ? C'est de la passion !

— Ah ! Dieu, non ! dit Margot qui s'assied en face de moi, berçant sur ses genoux la bête malade. Je ne l'aime pas, cette pauvrette-là.

— On vous l'a donnée ?

— Non, je l'ai achetée, naturellement. Ça m'appren- dra à ne plus passer devant le marchand de chiens, cette vieille fripouille d'Hartmann. Si tu avais vu cette brabançonne dans la vitrine, avec sa petite figure de rat malade, et cette épine dorsale en chapelet saillant, et surtout ces yeux... Il n'y a plus guère qu'une chose qui me touche, tu sais, c'est le regard d'un chien à vendre...

Alors je l'ai achetée. Elle est à moitié claquée d'enté-
rite ; ça ne se voit jamais chez le marchand : on les dope
au cacodylate...

. . . .

— ... Tu ne m'as pas amené Fossette aujourd'hui ?

Je fais, comme Margot, effort pour m'égayer :

— Non, Margot. Votre meute lui a fait un si mauvais accueil, la dernière fois !

— C'est vrai. Elle n'est pas brillante, ma meute,
en ce moment ! Venez, les éclopées !

Elles ne se le font pas dire deux fois. D'une rangée
de niches surgissent, petit troupeau grelottant et misérable, une demi-douzaine de chiens dont le plus gros
tiendrait dans un fond de chapeau. Je connais presque
tous ceux-ci, sauvés par Margot du « marchand de
chiens », arrachés à ce commerce imbécile et malfaisant
qui parque, en vitrine, des bêtes malades, gavées ou
affamées, alcoolisées... Quelques-unes sont redevenues,
chez elle, des animaux sains, gais, robustes ; mais
d'autres gardent à jamais l'estomac détraqué, la peau
dartreuse, une hystérie indélébile... Margot les soigne
de son mieux, découragée de penser que sa charité ne
sert à rien et qu'il y aura éternellement des « chiens de
luxe » à vendre...

. . . .

NELLE

. . . .

Je termine à peine lorsqu'une griffe dure gratte le bas de ma porte. J'ouvre tout de suite, car c'est la patte quémandeuse d'une petite terrière brabançonne, qui « travaille » dans la première partie du spectacle.

— Te voilà, Nelle !

Elle entre, assurée, sérieuse comme une employée de confiance, et me laisse caresser ses petits reins tout fiévreux de l'exercice, pendant que ses dents, un peu jaunies par l'âge, effritent un gâteau sec.

Nelle est rouquine de poil, luisante, avec un masque noir d'ouistiti où brillent de beaux yeux d'écureuil.

— Tu veux encore un gâteau, Nelle ?

Bien élevée, elle accepte, sans sourire. Derrière elle, dans le couloir, sa famille l'attend. Sa famille... c'est un grand homme sec, silencieux, impénétrable, et qui ne parle à personne, plus deux colleys blancs, courtois,

qui ressemblent à leur maître. D'où vient cet homme-
là ? Quels chemins l'ont amené jusqu'ici, lui et ses
colleys, pareils à trois princes déchus ? Son coup de
chapeau, son geste, sont d'un homme du monde, comme
sa longue figure coupante. Mes camarades, peut-être
divinateurs, l'ont baptisé « l'Archiduc ».

Il attend, dans le couloir, que Nelle ait fini son
gâteau. Il n'y a rien de plus triste, de plus digne, de
plus dédaigneux, que cet homme et ses trois bêtes,
orgueilleusement résignés à leur sort de vagabonds.

— Adieu, Nelle...

Je ferme la porte, et les sonnailles de la petite
chienne s'éloignent... La reverrai-je ? C'est ce soir la
fin d'une quinzaine, et peut-être la fin d'un stage pour
« Antoniew et ses chiens... » Où vont-ils ? où brilleront
les beaux yeux marrons de Nelle, qui me disent si clairement : « Oui, tu me caresses... oui, tu m'aimes... oui,
tu as pour moi une boîte de gâteaux secs... mais demain,
ou le jour d'après, nous partirons. Ne me demande
rien de plus que ma politesse de petite chienne gentille,
qui sait marcher sur ses pattes de devant et faire le saut
périlleux. Comme le repos et la sécurité, la tendresse
est pour nous un luxe inaccessible... »

. . . .

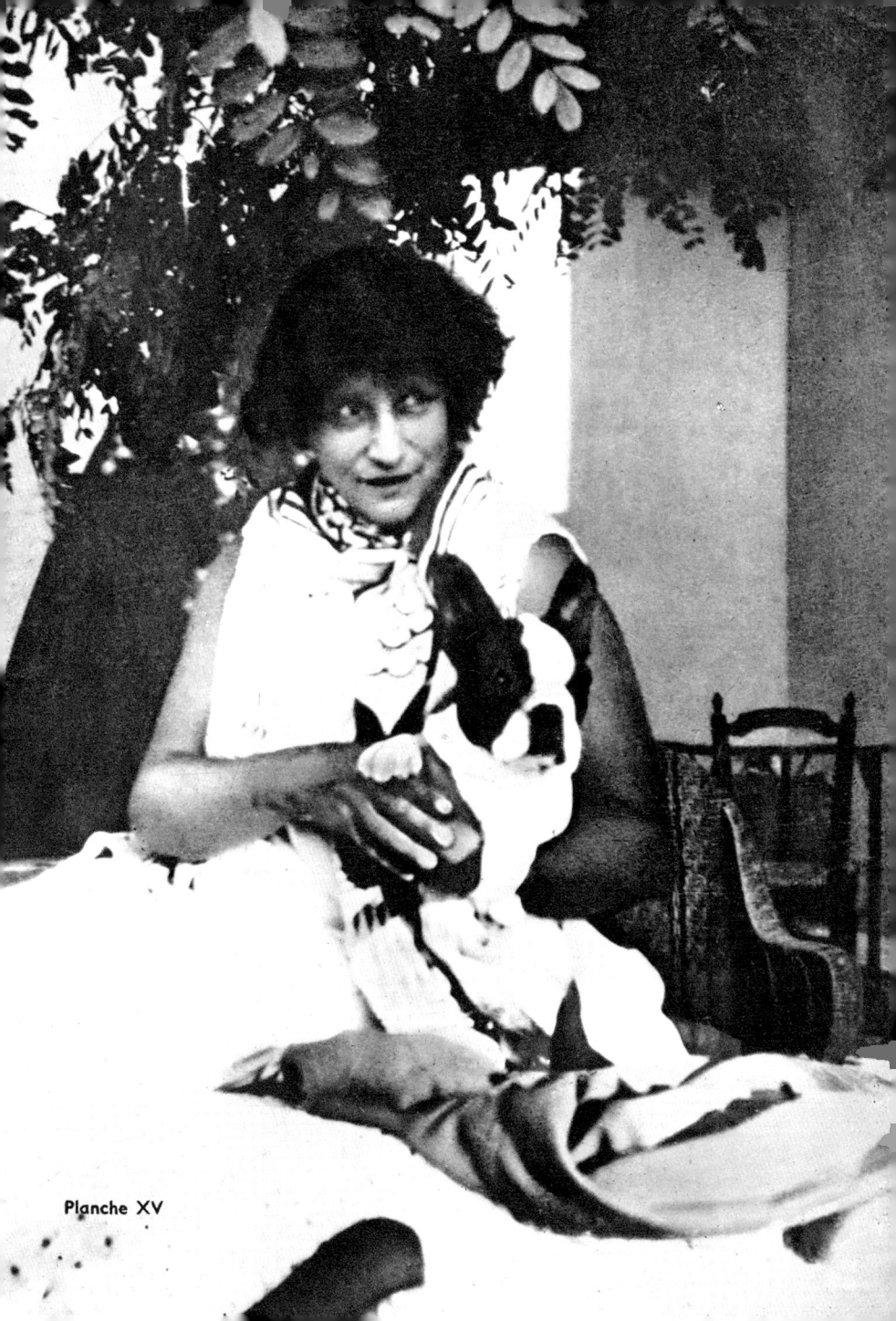

Planche XV

Photo Jean Neva

SOUCI

Je ne fais qu'un demi-somme de sieste, mais la chienne dort. Elle dort à la manière des bouledogues, c'est-à-dire qu'elle n'est que tressaillements, courses en rêves, convulsions légères des babines, efforts pour s'évader, pour crier, peut-être pour parler. Au plus sombre d'un songe, ses paupières s'ouvrent. Mais ses grandes prunelles, brunes et pailletées comme un schiste, ne voient rien que l'envers dramatique du sommeil. Ma joue, proche de son flanc, perçoit les soulèvements inégaux de son souffle, et les battements désordonnés de son cœur, cinq petits coups, rapides comme les toc-toc... toc-toc-toc... de l'insecte percuteur, appelé horloge-de-mort, qui hante les vieilles boiseries. Puis un seul choc supendu entre deux silences interminables, un seul, le dernier ?... Non, au moment où j'allais moi-même, par contagion, suffoquer, trois palpitations folles se succèdent. Puis quatre ; puis un mortel silence, puis une reprise de vie, en série de sept battements...

Tel est le cours normal d'un cœur de chienne bouledogue. Combien de temps celle-ci survivra-t-elle à ses
émotions ? Un petit bull français, je commence à le
savoir, s'use en dix années. Encore lui faut-il une
hygiène spéciale. Mes longs silences, l'immobilité de
mon travail le sauvent de lui-même, de sa curiosité passionnée, de sa crainte à toute heure, de se sentir orphe-
lin, et calment sa faim morbide d'écouter et de retenir
des paroles humaines...

Elle dort, la chienne-bull-de-toute-beauté. Ainsi
l'appelait l'homme auquel je l'ai achetée. Il montrait
un pedigree sale, coupé aux pliures, et qui avait dû
servir de pièce d'identité à plus d'une chienne bull. Car
je remarquai vite qu'elle le suivait, que son style
« d'accompagnement », comme disent les éleveurs, était
irréprochable, qu'elle se mettait debout quand il se
levait, qu'elle se couchait quand il s'asseyait. Mais le
cœur — toujours le cœur, viscère ou sentiment — n'y
était pas. Et je vis qu'elle continuait, collée à lui,
d'attendre... qui ? Son regard, sa secousse nerveuse
dans la patte antérieure gauche quand on sonnait à la
porte, une sorte de fixité absente, tout cela sentait la
bête dépaysée, volée ; laisse-t-on dans un chenil d'éle-
vage une telle chienne pendant quatorze mois ?

Ainsi parut chez moi Cessy von Heschtfurth, — à
quelques consonnes près — qui s'appelle maintenant
Souci. Elle dort, elle s'abandonne à son repos cahoté.
« Un, deux... Un, deux... Un, deux, trois, quatre,

cinq... Un... Un... Un... » compte son cœur près de ma
joue. Elle est chaude, elle exhale la bonne odeur du
chien qui dort, lait et herbage relevés d'une pointe
d'iode et de romarin, à cause du bain de mer et de la
haie que nous longeons en revenant de la plage, l'odeur
amicale, consolante, à la faveur de laquelle une créature humaine se flatte secrètement : « C'est ici qu'il
ferait bon aborder une fois pour toutes, ici qu'il ferait
bon verser enfin les vieilles, les sereines larmes, mises
de côté depuis des années... » Pas de fol espoir. Cette
chienne ne supporterait pas mes pleurs. Tout au plus
me fut-il permis, sans qu'elle en mourût, de me casser
une jambe... Toujours son cœur. Le premier moment
passé, — on ne souffre pas beaucoup d'une jambe rompue — j'eus donc le loisir de m'inquiéter sur ma
civière : « Attention à la chienne... Attention... » car
la chienne, incapable de parler ni de gémir, s'agitait
comme dans le cauchemar, cherchait l'air et montrait
une langue d'un mauve crayeux : « Donnez-lui de l'eau
froide. Pressez-lui un citron dans la gueule, vous ne
voyez donc pas qu'elle va s'évanouir ? » Cependant, on
me versait de l'eau de Cologne sur les tempes, à moi
qui ne risquais plus rien.
. . . .

★
★ ★

« Souci, Souci... »

A l'appel, elle venait, portant fièrement son nom de fleur et de tourment. Elle accourait, son front génial de bouledogue barré de rides et les oreilles dressées en cornet d'arum. Elle avait une sorte de passion de l'obéissance, qui lui laissait toute sa forte personnalité, sa liberté d'opinions et de choix. Elle voulait toujours comprendre ce que je disais avant que j'eusse fini ma phrase. Elle décrétait qu'entrevue à peine telle personne ne valait pas la corde pour la pendre, ou bien qu'on en pourrait faire quelque chose. Jalouse de la Chatte Dernière, elle espérait me cacher sa jalousie en fermant, sur ses yeux fortement bombés et bridés au coin des tempes, sur ses yeux de bouledogue premier-prix-catégorie-des-moins-de-sept-kilos, en fermant, dis-je, ses paupières tout juste suffisantes à couvrir deux globes pailletés d'or comme l'aventurine. Mais elle savait bien que je n'étais pas dupe, et elle pensait que peut-être en d'autres temps j'avais été moi aussi bouledogue, qu'il convenait de se méfier de moi, de me donner le change : qui tromperait-on, sinon ceux que l'on aime ? « Souci, Souci... » La bien nommée, front sillonné, pouls inégal, souffle court, sommeil troublé de songes, « Souci », qui tressaillait de la patte antérieure gauche sous le poids d'une mauvaise pensée, quand le mal lancinant, toujours le même, le péché de l'amour exclusif, fouettait le sang, taraudait les nerfs trop sensibles de la chienne, de la chienne bouledogue, qui pouvait souffrir seulement pour moi et par moi.

Souffrir d'absence, souffrir d'attente, souffrir d'amour, c'est tout un. Elle avait entrepris de réprimer les manifestations de la souffrance physique, avec hauteur et désinvolture. Une patte écrasée, qu'est-ce ? Rien. Une blessure, une épine de cactus ? Moins encore, et le grattage du tartre sur les dents, cela vaut à peine un petit râle contenu quand le grattoir touche une molaire déchaussée... Ainsi raisonnait Souci la bien nommée, qui n'est plus.

En ce mois de février, un de mes amis, qui avait appris à l'estimer, m'envoie un bouquet serré de soucis jaunes, à l'exclusion de ceux qui affectent le rouge orangé du potiron. Chaque année, je les rends heureux quelques heures dans un vase gris d'un émail grossier et plaisant, tant soit peu pustuleux, un gros pot où l'on conservait le beurre quand il y avait du beurre. Souci n'a de tombeau que dans ma mémoire ; aucune dalle, aucune épitaphe ne commémorant ses vertus, ni les dates extrêmes de sa trop courte vie. Mais les soucis et moi nous nous souvenons d'elle, discrètement. Jaunes et parfaitement rondes, les fleurs ne me suggèrent aucune évolution plastique de Souci la chienne. Six, sept rangs concentriques de pétales étroits en forme de plumules se serrent autour d'un centre d'étamines ; l'extrémité de chaque plumule est dentelée délicatement. Ce sont des fleurs et non des symboles d'une longue et parfaite amitié canine.

Pourtant, ce centre, ce cœur, cet œil du souci, je ne

puis m'empêcher de remarquer qu'il est d'un brun doré,
juste comme fut un beau regard, couleur d'aventurine...

⋆⋆

. . . .

Elle avait une mémoire subtile, comme la plupart des
chiens à gros cerveau rond, bouledogues, bull-terriers
et petits terriers brabançons, et boxers. La boxer de
mon frère aîné *savait* plusieurs chansons, et ma bouledogue *Souci* un nombre extravagant de mots ; elle les
apprenait si rapidement que je m'offrais l'amusement
de lui donner des défauts de prononciation. Elle aimait
les fruits, avec une préférence marquée pour la framboise et le raisin bien mûrs, que je désignais, pour elle
seule, sous les noms de « frambouééze » et de « rrheuzin » (l'h fortement aspiré, je vous prie). Quelquefois,
j'oubliais les rites, et je lui disais : « Vous voulez une
framboise ? Un raisin ? » Elle me regardait d'un air
buté, et ne répondait rien. Je rectifiais : « Une petite
frambouééze ? Un rrheuzin ? » Sur quoi Souci s'élan-
çait, soulagée, avec des marques de joie et d'acquiesce-
ment. Jusqu'au jour où, ayant découvert que non seulement la vigne, mais la framboiseraie fructifiaient à
hauteur de bouledogue, elle se passa de mon aide et
des vocables corrompus pour prendre vers sept heures
du matin, son petit déjeuner de frambouéézes et de
rrheuzins.

Je l'avais achetée à l'Exposition canine des Tuileries, premier prix qu'elle était des bouledogues français, catégorie des moins de sept kilos, et payée neuf mille francs. Son frère partit pour l'Amérique, enlevé au poids de l'or. L'acquisition passant mes moyens, j'en fus quitte pour me priver d'un costume tailleur neuf et d'un « ensemble » d'après-midi, et la garde-robe de Souci s'accrut d'un harnachement en maroquin écarlate. Quand nous sortions ensemble, mon coude droit râpé et mon feutre (que la comtesse de Noailles appelait mon « chapeau de vieux chasseur ») faisaient peut-être un peu miteux, mais la chienne retenait les regards. En onze années d'existence commune, nous n'avons pas croisé, Souci et moi, un couple où la bouledogue recueilllit autant de jalouse admiration.

. . . .

⋆⋆
⋆

. . . .

Je sais encore lire ce que proclame un visage de fauve. Le pur regard que tourne vers nous *Léa* m'en dit assez.

Son portrait voisine avec ceux des bêtes qui furent plus heureuses, sinon plus résignées : ma dernière bouledogue, désespérée de vieillir, de devenir sourde, d'entendre moins ma voix, de ne distinguer mes traits que derrière un brouillard. Elle craignait peut-être, à

ndistincte, que je ne fusse en train de perdre
la vie, et la nuit, chaque fois que j'allumais
, je la surprenais assise, veillant et me tenant
son regard que bleuissait la cécité.

A force de recevoir les dons des bêtes familières,
l'égoïsme m'a enfin quittée. C'est pourquoi les plus
récentes, chatte et chienne, je les nomme « mes dernières ». J'espère résister à la tentation d'entendre
autour de moi un langage de chatte aux cent inflexions.
Et pour ce qui est d'une chienne, ses promenades
seraient maintenant trop longues pour moi. Je consens
à me bouffir d'inaction, puisque je n'ai pas le choix,
mais j'aime que la bouledogue ait, avec des épaules de
lutteur, l'hygiène qui fait la taille mince, l'allure aisée,
le nez frais, l'estomac satisfait. Ma dernière brille de
toute sa beauté défunte sur une vaste photographie ver-
nissée, une épreuve de cinéma, prise au cours de
La Vagabonde. Le film éphémère ne servit aucune car-
rière de star. Mais la bouledogue *Souci*, si nous l'avions
voulu elle et moi, m'aurait gagné une fortune. Elle
parut, photogéniquement noire et blanche, les oreilles
rigides, parée de son feu d'expression, de son excès
visible de pensée, bandée d'ardeur, et le public ne lui
ménagea pas son applaudissement. Après, elle retourna
à sa sainte et régulière existence, au culte qu'elle me
portait, à sa malveillance envers l'espèce canine, au
petit fauteuil qu'elle partageait avec la Chatte.

TABLE DES ILLUSTRATIONS

TABLE DES MATIÈRES

ACHEVÉ D'IMPRIMER
EN SEPTEMBRE 1957 PAR
EMMANUEL GREVIN et FILS
A LAGNY-SUR-MARNE

Dépôt légal : 4ᵉ trimestre 1957.
Nᵒ d'Édition : 2568. — Nᵒ d'Impression : 4997.

IMPRIMÉ EN FRANCE.